JN114834

聞き出す力 FINAL

Go Yoshida
吉田豪

集英社

装丁　トサカデザイン（戸倉 巌、小酒保子）
本文組版　マーリンクレイン

目次

第2章 「書く・まとめる」極意　161

第3章 「読む・知る」極意 235

本書は、『週刊漫画ゴラク』（日本文芸社）の二〇一八年八月二四・三一日号〜二〇二二年四月一日号）に掲載された連載「吉田豪の聞き出す力」を、加筆修正のうえ一冊にまとめたものです。

本文に登場する人物の年齢など各種の数字や時制は、連載当時のものです。

第1章

「聞く・話す」極意

聞き出す力——其の一

一時代を築いた人間でもいつかは年を取る。大人物へのインタビューは遺言を聞き出す覚悟でいくべし！

ボクはプロレス〜格闘技〜俳優〜音楽〜漫画など各ジャンルの老人から死に水を取るようなインタビューをやりがちというか、生涯最後のロングインタビューを担当させていただくことがなぜか多い。単純に老人のインタビューを雑誌に載せるときに大量の文字数を取るのは難しいので、他の人だと企画が通りにくいというのもあるんだろうが、だからボクはいつも遺言を聞き出すぐらいの気持ちで話を聞きに行くし、「これだけはやっておかないとまだ死ねないということは何かありますか?」とか、あえて聞くようにしている。

ボクがこうなったのは、おそらく『紙のプロレスRADICAL』という雑誌でベテランレスラーのインタビューをするようになってからじゃないかと思われる。立場もあって自由に発言できない現役選手と比べると、いまさら守るものは何もないから、人の悪口だろうが下ネタだろうが、「どうせ近い将来には死ぬんだし」とばかりに余計なことしか言わない老人、最高！　ただし、あまりに物騒な発言ばかりしまくっていた元プロレスラーの尻部分が不自然な膨らみ方をしているのを見て「……え、おむつ？」と思った瞬間、自分が老人を取材していることを思い出して、何とも言えない物悲しさを感じたりもして。

元プロレスラーであり元レフェリーであり梶原一騎の命令による脅迫事件での逮捕歴もあるユセフ・トルコも、ボクが最後に取材したときは「俺は八二歳だけどオヘソの下は四〇歳！」と元気にいつものフレーズを口にしつつも、ふと見るとスラックスがありえないぐらいに泥だらけで、大丈夫なのかと思ったらその数ヶ月後の二〇一三年に亡くなった。

そんな時期だったので、話の流れを無視してひたすら俺自慢とアントニオ猪木の悪口を言い続けるのはいつものユセフ・トルコではあったんだが、とにかく固有名詞や人名が出てこない。猪木の悪口を言おうとしても、何が許せないのか思い出せない。代表的な俺自慢エピソードであるグレート東郷鉄拳制裁事件について聞いても「……なんだったっけ？ああ、なんかあったたな。よく知ってるね。俺も忘れたことみんな覚えてるよ！　座布団一

○枚！」って感じで、肝心のエピソード自体を忘れてたりするのだ。
で、何も思い出せないからなのか、唐突に「……（同行した女性編集に）いい女だねえ。いままでタレントも見てきたけど、こんだけいい女はいないよ！　ビックリしちゃうよ！　いくつ？　三○!?　うそーっ、俺まだ二二〜二三歳かと思ったよ。三○に見えないよ！　まだ処女だろ、処女！　これは絶対に処女だよ！」と同行した女性編集者の二の腕を揉みながらひたすら口説き続けたりと、オヘソの下だけは四○歳ぶりを発揮しまくっていたのだ。どれだけ記憶を失っても猪木への憎しみと女好きぶりだけは永遠！

最後、ユセフ・トルコはこう言っていた。

「これから武藤（敬司）と一緒にプロレスをひとつに戻そうと思ってるの。プロレス界を元に戻したいって、俺の最後の夢だよね。あとはもう死んでもいいんじゃないかな、八二歳だから。だって病院に入って動けなくなってまで生きたいと思わないよ。もう人生は楽しんだんだから。いま勃つか勃たないかわかんないぐらいで、勃たなくなったらおしまいなんだから。まだ俺は勃ったら硬いんだから。（女性編集に）君とヤリたいよ！」

プロレス界統一という最後の夢は実現しなかったとはいえ、やりたいことをやりまくってきたから人生に後悔はなさそうだったユセフ・トルコ。記憶が曖昧で会話がループしまくっていても、とりあえず元気に話しまくってくれたからなんとかインタビューは成立したんだが、老人インタビューの場合は「耳が遠くて会話が成立しない」というパターンもある。最近、ボクがやっているベテラン漫画家インタビュー連載でかなり苦戦したこともあったんだが、それでもまだ少しでも元気なうちに話を聞きにいかなきゃいけないと思っているし、これがボクのやるべきことなのである。死に水、取らせてよ！

聞き出す力――其の二

どんな相手に対しても、柔軟に千変万化の対処ができるように心がけるべし

二〇一八年六月、なぜかボクはある記者会見で大量に集まったマスコミ陣のフラッシュを浴びて、会見後にはワイドショーの記者に取材されることになった。それまで面識もなかったSHOWROOMの前田裕二社長に突然呼び出され、「秋元康さんが吉田豪さんのことを推薦していたので……」という理由で、キングコング西野亮廣、乃木坂46、鈴木おさむ、指原莉乃、前田裕二、堀江貴文といった各界の著名人と日替わりでネット番組をやることになり、その会見に引っ張り出されたためである。西野さんやホリエモンとは一緒にイベントをやったことがあるからなんとかなると思ったら男性陣は全員会見を欠席したので、壇上にいるのは前田社長と指原さんと乃木坂の衛藤美彩&与田祐希&新内眞衣（全

員面識なし）とボクだけ！

　すさまじく場違いな状況だったので、一部マスコミはボクだけ集合写真からカットしてたりしたんだが、その気持ちはよくわかる。しかも、会見直前に前田社長と石原さとみの熱愛報道もあったから、芸能マスコミの興味はそこにしかないわけで。しょうがないからマスコミへのサービス＆そのとき生配信していたＳＨＯＷＲＯＯＭ視聴者へのサービスとして何度か前田社長の熱愛をいじり、それでいて危険水域には踏み込まず適度にガス抜きするという作業を誰に頼まれたわけでもないのにやってみた。場違いな場に紛れ込んだ人間にできる、最低限の気遣いみたいなものである。

　さて、明らかに知名度で負けているメンバーと同じ番組に並べられたことで、ボクはどうやって闘っていくべきか考えた。ＳＨＯＷＲＯＯＭは秋元康系列のアイドルが使っているからへヴィユーザーはアイドル好きのはずなので、ボクが決めたのは「いつも絡んでいる杉作Ｊ太郎や掟ポルシェみたいな面々ではなく、ゲストは女子中心にする」「普段あまり絡む機会がない乃木坂やＡＫＢのメンバーも引っ張り出す」（そのつもりだったが難航）「台本もない一時間のロングインタビューという中身の濃さで差別化する」（他の日はカラオケの中継や粘土細工の中継や打ち上げの中継とかなので）。そして、最大のポイントは「ボクの本物の自宅から放送すること」だった。

それなら移動の時間がゼロなのでこちらとしても助かるし、毎週ゲストが来るから部屋を片付けなきゃって意識も働くし、何よりもスタジオで椅子に座ってのトークだとどうしてもビジネスモードになっちゃうけれど、靴を脱ぎ、座椅子に座り、下手したら酒も飲めたりする場を作れば、リラックスして素に近い状態を引っ張り出しやすくなるはず。これ、実は単純ながらメリットしかないシステムだと思うのだ。

生放送でこっちのインタビュースキルが丸出しになる緊張感もあってさすがに消耗もするけれど、それよりも反響がダイレクトで届くことが楽しくてしょうがない。先日は、ゆるめるモ！のあのちゃんという、口下手かつ会話の間も独特な子をゲストに招き、「二時間も話せるのか？」とファンも本人も心配する中で生放送を成立させたことで、放送後にファンの人からこんなダイレクトメッセージが送られてきた。「あのちゃんの発言を基本的にうなずきながら肯定する中で掘り下げてほしい部分を掘り下げたり、聞き直すポイントをしっかりと判断しながら進めていく豪さんはプロインタビュアーでした。あのちゃんの話を止めたり遮ったりすることなく、一度落ち着くまでゆっくり時間をかけて聞ききってから話を展開させたり、静寂や間を恐れずゆっくりでもあのちゃんから言葉を引き出す聞き出す力がすごかったです」と。やった！「猫舌ＳＨＯＷＲＯＯＭでは吉田豪の日が一番面白い」と秋元康も言っていたらしいので（あくまで伝聞）、それも含めて嬉しいのと同時に、秋元康プロデュースで神宮球場で始球式をやらされたのに続いて、次はカレンダーを作る計画が始まったりと、結果を出すことで蟻地獄にハマっていくような恐怖も感じているのであった……。

万全な体調管理もプロインタビュアーの条件。特に声には気を遣うべし！

元気があれば何でもできる。昔からアントニオ猪木はそう言っているが、逆に言えば元気がないと何にもできない。最近、車椅子に乗った猪木が張りのない声で喋る姿を見て、そんなことをつくづく思った。さらには内田裕也も最近は車椅子に乗り、喋るのもしんどいせいか身振り手振りで指示を出しているらしいから、やっぱり元気が重要なのだ。

そんなボクも最近、喉の調子が悪くて困っている。長時間酒を飲み続けたわけでもないのに大声を出そうとしたら声がひっくり返ったりかすれたりする状態が続いて、だけど風邪でもないっぽいし喉を休ませても全然治らないしで、おかしいとは思っていた。

インタビューの名手として知られた永沢光雄が酒の飲みすぎで下咽頭癌となり、声帯摘出手術でインタビューのできない身体になったのを思い出し、それだけは避けたいから病院にもろくに行かないボクが人生で初めて大学病院に行ってみた。鼻からカメラを突っ込んで診察した結論は、ポリープ状のものができていて、でもポリープみたいに切れば治るわけでもなくてすぐまた同じようなのができちゃうから、薬を飲みながらしばらく病院通いすることに。つまり、声を張って会話することが不可能な状態がまだ続くわけなのだ。

これ、日常会話には不自由しないけれど、テレビとかラジオに出るときはかなりしんどい。どうしても声を張らなきゃいけないから第一声で声がひっくり返りそうになるし、ボクの話をじっくり聞いてくれるモードになっていればいいけれど、他人の会話に割って入ることもできないから大勢が集められた企画では、まあ思った以上に役に立たない。

先日、この状態である番組のオファーを受け、ついでに体調不良も重なったまま昼の生放送をやる羽目になった。空腹でさらに元気が出ないから放送後に控え室で弁当を食べようと思ってたら、なぜか生放送中に共演者が次々と腹痛を訴えてトイレに駆け込んでいく。どうやらみんな番組の弁当にあたったっぽいので弁当は断念。

この日はミスｉＤの最終面接の日で、番組が終わり次第そっちに向かうと伝えていた。

ミス iDはいつも仕出し弁当を用意してくれてるんだけど、肉と魚しか選択肢がない。ボクは菜食主義まがいのことをやっているので、いつもボクだけ玉子サンドとか食べていたら、それを見兼ねて最近はリクエストを聞いてくれるようになった。去年もオーベルジーヌのカレーを食べて、今年もカレーをリクエストしていたから、それを楽しみに自転車で最終面接の会場に向かったのだ。

途中、空腹に負けて外食しちゃおうかとも一瞬思ったけど、リクエストもしているし、女の子の面接に一人でも多く立ち会いたいから、急いで自転車をこぎ、「一四時ぐらいになると思います」という宣言通りに到着。隣の薬局で喉関係の薬を買い込み、長時間の面接に備えた上で面接の部屋に入ると、みんなちょうど昼食中。そこで審査員の大森靖子さんに「あ、まだ来ないと思って豪さんのカレー食べちゃいました！　半分ぐらい残ってるけど食べます？」と言われたとき、自分でも予想外のダメージを受けた（大森さんはミスiDのプロデューサーに「豪さんは遅くなるからカレー食べちゃっていいですよ」と言われたらしい）。普通なら「カレー楽しみにしてたんだから、勘弁して下さいよ！」とボヤきながら、食べかけのカレーを一口だけ食べたりするのが正しいコミュニケーションのはずなのに、空腹&喉の不調のせいか普通に絶句。背後には山と積まれた肉と魚の弁当。「豪さんの分のカレー買ってきますから」とスタッフの人に言われて二〇分ぐらい経った頃、某牛丼チェーン店のカレーが、気を遣ったのか大盛りで眼の前に置かれた。みんな食事を終えて面接も始まった中、居残りで給食を食べさせられる小学生みたいな気分で一人で食べる某牛丼チェーン店のカレーがビックリするぐらい美味しくなくて、やっぱり自分の感情は食べ物でしか揺れ動かないと実感。ボクはご飯を炒めていない炒飯やオムライスと、美味しくないカレーにだけはうるさい男なのである。俺にカレーを食わせろ!

聞き出す力──其の四

インタビュアーに大事な距離感は、取材時に問題が大きくなればなるほど有利に働くのだ!

ここ最近のNGT48の騒動についてボクが48グループ&坂道専属ライターみたいな人から情報収集しようとしたら、「いや、実は全然詳しくないんですよ。距離が近すぎると逆に聞きづらくて」とのことで、逆にボクが知っている情報を全部伝える羽目になった。それでわかったのは、何かの話を聞き出すには距離が近すぎても駄目だし、もちろん何の接点もないぐらい距離が遠すぎても駄目で、距離はそれなりに遠いけれど接点はあるぐらいの関係のほうが、今後の関係とか余計なことを気にせずに踏み込めるってことである。

取材のときは一気に距離を詰め、取材が終われば一気に距離を置く、その距離感を保つことをテーマに活動してきた人間としては、自分のやり方が正解だったといまさらながら確信。やっぱり近すぎると言えないこともあるし、逆に遠すぎたら情報不足でボンヤリしたことしか言えなくなるわけで。誰に対しても全方位で距離を保っている、ボクみたいな人間にしかできないことがあるはずなのだ。

NGT48の騒動について、ボクが「運営の対処が間違いだらけで運営が悪いのは大前提として。周辺の人間に聞き込みをしたら、ほとんどの人が『報道もそうだけど、ネットに出ている情報がとにかく間違いだらけ』と言っていた。つまり、間違っている可能性の高い情報をベースに関係ない人を叩いているという、正義が暴走しちゃっている状態になってるみたいだから、ちょっと落ち着いたほうがいいですよ」とあるテレビ番組で発言したら、それが微妙に間違った感じでネットで拡散され、その放送も動画も見ていない人たちが「あいつが当事者でもないのにネットの情報は間違いだらけとか言ってたらしい！」「あいつは運営側の人間で、この騒動を沈静化させようとしている！」と、またもやネットの間違った情報で関係ない人を叩く展開に発展。まるでよくできた教訓話みたいなエピソードなんだが、とかく正義は暴走しがちなもの。

なので、「吉田豪が地下アイドルの運営の問題とかを批判するのは正義じゃないのか！」

「地下アイドルの運営は叩くのに、NGTの運営を叩かないのは、大きな組織が怖いからだ！」とか言われたりもしたけれど、ボクはどんな大きな組織でも批判するべきときは批判するし（この前後で須藤凜々花が事務所と揉めて引退したことを明かしたり）、そもそも今回も運営批判をしているし、地下アイドルの運営批判に義侠心的なものがないとは言わないけれど、正義が暴走しがちなことはよくわかっているから、基本的に好奇心が半分ぐらいのバランスになるように心がけている。そのせいで地下アイドルのゴタゴタを語ってほしいと地上波『バイキング』に呼ばれたとき、「豪さん、そういう話をするときニヤニヤしちゃ駄目だよ！」と坂上忍に注意されたりもしたんだが、あのときはCM中におぎやはぎさんとかが馬鹿話をしてみんな笑っていたのに、CM明けでみんな一瞬で真顔になってることにボクだけ気づかなかったという理由もあったりする。

そして、もっと言うと全てを可視化させることがボクの目的。正しいことをしているはずの人たちは本当に正しいのか？　世の中で批判されている人は本当に悪なのか？　ボクが世間でバッシングされた人をよく取材するのはそういうことだし、四〇歳前後で精神的に病みがちなサブカル男のインタビュー集『サブカル・スーパースター鬱伝』（徳間書店、二〇一四年）の連載時に、当時盗用問題で騒がれていた唐沢俊一を取材したら、「なんでせっかくのチャンスなのに盗用問題をもっと追及しないんだ！」と言い出す人が登場したときもそうだった。唐沢俊一の悪行を追及する人たちの中に、どこかのタイミングでバランスを見失って、「あいつを批判しない人間は敵！」「我々の正義の邪魔！」的な発想の正義が暴走した人が出てきたことがあれでハッキリしたし、とにかく冷静でいることが重要なのである。とりあえず落ち着いて！

聞き出す力――其の五

初心者向けに丁寧に話をしてくれる人もいるが、初出の話をなんとか引き出すのが大事！

ここ何年か、ボクは雑誌『ＢＵＢＫＡ』で漫画界の大ベテランをインタビューする連載をやっているんだが、モンキー・パンチ先生には体調不良を理由にオファーを断られ、巨体で知られた小池一夫先生は大病して体重が五〇キロになり、一人で立ち上がれなくなっている状態で取材させていただいた。そんな二人が相次いで亡くなられたいま、ベテランの発言をボクがちゃんと残していかなければという思いをさらに強くしている次第である。

そんなわけで、さいとう・たかを先生のインタビューに行ってみた。ボクのデビュー単行本『男気万字固め』（エンターブレイン、二〇〇一年）のボーナストラックとして取材し、それが『漫画ゴラク』編集の『劇画スーパースター列伝』（日本文芸社、二〇一五年）

という本（ボクがやった、かざま鋭二インタビューも収録）に再録されたりもしたけれど、これが一八年ぶりの再会。ひたすら下調べをして、膨大な量の質問項目＆データベースを作り、二万字のインタビューを単行本一冊分の密度にするのがテーマだった一八年前と違って、今回はほぼアドリブで対応したんだが、さいとう・たかを先生は一見さんのためにわかりやすくするのがモットーの人だから、放っておくとすぐにいつもの話を始めるので、その度に「それはよく言われてますね」「それ、よくボヤいてますよね（笑）」「よく存じ上げております！」と返す闘いになぜか発展。

その結果、やっぱり一八年前と同じで「悩んでたときは上半身裸で外を歩いてチンピラとケンカ」してたりのアウトロー話が最高だったわけである。

「デッサンを紙で描いてたらいつまでも頭に入らないっていうことがわかって、対象物をじっと見る癖がついてたんですね。つまり目で観察してデッサンしてるわけですよ。そうすると、これは関西でメンチ切るっていうんですけど、そういうことだと思ってチンピラが寄って来て、こっちも若かったから『なに?・』とかね、ケンカになったりする」「でもね、そういうのを避ける方法に気づいたんですよ。チンピラに『なんだ?・』って言われたら、『友達と間違えたんです、よく似てたもんで』って言うと、それで済みましたね」

そんなさいとう先生に「それまでは来たらとりあえずやってた?」と聞くと、「若かったから(あっさりと)。だって東京に出て来たとき、まだ一八歳ですからね、大阪ではチンピラとケンカして大阪の警察署にひと通り泊まりましたからね」と発言。当時、チンピラ上がりの弟子と一緒に暴れていた人が漫画の世界に入ってくるのは異例だったはずなのだ。

「そうですね、だいたいはみんなオタク族でしょ」「トキワ荘の連中とも親しくなったんですけど、みんなホント子供みたいなんですわ」「ホントにつき合うのに困りました」

大人の遊びに対応できそうな安孫子素雄先生に対してすら、「いや、彼もホントになんにも知らなかった。ただ人間的には、お祭り好きですからね。ある程度の社会性は身についてましたけど、やっぱり子供でしたね。あっちのほうが年上なんですよ、でもぜんぜん。石ノ森章太郎なんかにしてもひどいもんでしたよ」「だからこの世界で生きていくのにそういう人とつき合っていくのがたいへんでね。まともな人とつき合いたかった(笑)」と言い切る、さいとう先生。最後は「実は刺青ギリギリ入れそうになったんですよ。つき合ってたチンピラがいて、『刺青を入れるからおまえも入れろ』って言って、無理やり連れてかれたんですよ。そしたら、刺青っちゅうのは図面があって、それ見せられたらヘタクソなの」「ワシならもっとうまいこと描いたるわと思って。それで入れなかったけど、あれはホントに九死に一生でしたね」「一緒に行ったヤツは見事なモンモン入れましたよ」なんてエピソードまで飛び出すから、トキワ荘文化と嚙み合うわけがないのである。さいとう・プロ自社ビルの屋上に日の丸の旗を掲げていたら右翼団体と間違われた話も最高！

インタビューに入る前の雑談も大事。意外な話が聞けたりするから、本番と思って臨むべし！

代表作といえばビッグ錠『包丁人味平』や神矢みのる『プラレス3四郎』とかになるんだろうが、実は『漫画ゴラク』でも古くから仕事をしてきて、いまは静岡県伊東市の願行寺で住職をやっている劇画原作者・牛次郎。

脳梗塞の後遺症で長い原稿が書けなくなったとはいえ漫画界の人間のセカンドキャリアとしてはあまりにもワン&オンリーすぎなんだが、もともと原作者になる前からコック(レストランを経営したものの倒産させた)も含めてかなり雑多な活動をしてきた人物なのである。ただ、パチンコメーカーの勤務経験を活かして『釘師サブやん』を書いたという有名なエピソードは、正確にはちょっと違う。「サン・ラを目指すユニークバンド」という触れ込みだった西陣創業者の清水一二率いる〝ワンツー清水と宇宙楽団〟のウッドベース担当として『火星人(宇宙)の行進』なんて曲を演奏していたそうで、『夕刊フジ』や『週刊現代』の記者もやっていたとか、人生自体がかなり特殊なタイプだったのだ。

先日、願行寺でインタビューしたときも予想外なエピソードが多すぎて衝撃を受けた。一九八六年放送のドラマ『セーラー服通り』の原案&脚本を手掛けた際、生徒役のオーディションにも立ち会い、ディレクターやプロデューサーが落とそうとしていたところを原案&脚本特権で大抜擢し、セリフの数もやたらと増やして売り出したのがあの蓮舫だったとか、その手の話が次々と飛び出すのである!

聞きたいことはほとんど聞き終えた後、梶原一騎&真樹日佐夫兄弟と仲が良かったという話から、ボクも乗せていただいた真樹先生所有のクルーザーが某ヤクザの組長の持ち物だったという話になり、その流れで浅草ロック座の斎藤智恵子会長の名前が出てきたから、ボクが「勝新太郎さんの面倒を見た人ですね」と言うと、牛次郎先生はあっさりこう言ったわけなのだ。「そうそう、勝さんここに住んでたから」。……え?

「そっちの部屋はボタンでスクリーンが降りてくるんだけど、勝さんは映画さえ観させておきゃなんにも文句言わない人だから、プロジェクターを借りてきて。ずっといましたよ、ハワイから帰って来てから。で、連れて帰って来たのは俺なんだよ（あっさりと）」

一九九〇年一月一七日、日本からハワイに向かったときホノルル国際空港でマリファナ&コカイン所持で逮捕され、国外退去命令が出たものの帰国したら日本で逮捕されるということでハワイに居座り続け、九一年五月一二日にようやく帰国。このとき人知れず牛次郎先生が勝新をサポートして、日本まで連れ帰ったそうなのだ！

「世の中の人はみんな知らないんだけど。知らないように俺がやってたの。トミさんに頼まれたんだよ、お兄さん（若山富三郎）に。『俺も長いことないから』って。手術で腹かっさばいてるから、『牛くん、勝をあのままハワイに置いとくわけにいかねえから連れて帰ってくれよ』って言われて、勝さんの応援をしてくれてた名古屋の実業家の人と行って、その人が費用を出して。俺はそんな金ねえから。連れて帰るまで一ヶ月ぐらいかかったかな？　それで『先生、明後日帰るんだから、（薬は）明日やらないでくださいよ。明日やっちゃったら最悪ですからね、オシッコ取られたらおしまいですよ』って言ったら、ハワイのマフィアの親分が来ちゃって、『勝さんが帰るなら混じりっけのないいいヤツを今日は持ってきたから』って言うの（笑）」

　この余計なサービスによって勝新は空港でヨレヨレになっちゃったとのこと。その帰国時の映像をよく見ると牛次郎先生が写り込んでいて、それを『ＦＯＣＵＳ』に嗅ぎ付けられて取材を申し込まれたけど、シラを切り通したら一行も出なかったらしい。こんな話、関係者がほとんど亡くなったいまじゃないと絶対に出てこなかったはずだし、劇画原作者に劇画のことだけ聞いてもこんな話にはならなかったはずだから、インタビューがほぼ終わった後の雑談は重要！

二度、三度と同じ人物にインタビューすることもあるので、伏線となりうるやり取りを仕込んでおくのもアリ！

ボクがこれまでインタビューの仕事をしてきて、トップクラスの難敵が南明奈だった。二〇〇七年に『B．L．T．』で出会った彼女は、当時まだ一八歳の高校生。最初に「今日は根掘り葉掘り聞かせてもらいます」と言ったら「……根掘り葉掘りって？」と返されるぐらい日本語を知らないし、グラビアの仕事も「あんまり好きくないです」「だって嫌いなんだもん」「どんどん嫌いになってく」と言うぐらい反抗期だった彼女と、そもそも会話が嚙み合うわけもなかった。

なので「勉強は嫌いです」（南）、「国語は勉強した方がいいですよ」（吉田）、「国語も嫌いです。必要ないじゃないですか。意味がない」（南）、「絶対に意味ありますよ！」（吉田)、「ないですよ。小学校のときの国語はすごい大事だと思いますよ、漢字の勉強とかで。でも、いまみたいな……ねえ?」(南)、「インタビューとか読んでても、明らかに難しい言葉がわかってないじゃないですか」(吉田)、「わかってないですね」(南)、「だけど、テレビの仕事とかすると難しい言葉がいっぱい出てきますよ」(吉田)、「でも、授業で習った言葉が出るわけじゃないですよね。絶対こんなの使わないよっていうのばかりで」(南)、「いや、使いますよ。英語とかは要らないですけど」(吉田)、「いや、英語は必要ですよ! 海外行ったらお買い物できないですよ」(南)、「台本で読めない漢字いっぱい出てきますよ。大丈夫ですか?」(吉田)、「大丈夫ですよ?」(南)、「いや、大丈夫じゃないよ。こっちで振り仮名振ってますから。大変なんですよ」(マネージャー)、「しょうがない」(南)って感じで、いつも相手を肯定しまくるボクが「それは違う」的な指摘をした結果、もはやただの口論になっていたわけなのだ!

そして「有名になりたい」と言い続ける彼女に、「有名になっても、いいことばかりじゃないですよ」とボクが返したら、「……そう言われるとちょっと悩んできちゃうじゃないですか!」と怒られ、「じゃあ、有名になったときにまた会いに来て、『有名になってみてどうですか？』って聞きたいですね」とボクが言ってから一二年後。とうとう彼女との答え合わせの機会が訪れたわけなのである！

三〇歳になり、結婚もし、いまはすっかり物腰も柔らかくなった彼女は、「ホントにすみません……」とひたすら謝りまくった。あの時期は仕事と学業の両立で全然寝られなくてイライラしていたとのこと。当時、彼女が『ＰＲＩＤＥ』サポーターとしても活動していたことについて、マネージャーさんが「試合中、寝てましたからね。髙田（延彦）さんの隣で。髙阪（剛）さんと髙田さんに挟まれてて寝てましたから、やるな、こいつって」と言っていたのも、しょうがないぐらいの状態だったのだ。

そして、実際に有名になってみての感想は「たいへんなことが多かった」「気づかないです、なってみないと」とのこと。

国語の大切さで口論になったことについては、「ひねくれてますね、一八歳の私（笑）」「国語なんて超必要なのに。一番大事なのに」「一四歳からお仕事をしてきて、足りないものっていうか……もっと自分に知識とかつけなきゃダメだなってすごく思って。知らないことが多いなって」「ホントに最近、本を読むようになったんです！」とのことで、「ボクが言ったことは間違ってなかったんですかね?」と聞くと、「……ホントありがとうございます」と一言。これぐらい伏線がちゃんと回収されて和解できることも珍しいってぐらいの着地になったわけである!

「大丈夫です、もう根掘り葉掘りはわかります。ホント恥ずかしい、もうやだ(笑)」

「変われてよかった(笑)。あのまま成長してたらとんでもないヤツになってますよ!」

大人になるのも悪いことばかりじゃないと思えた再会インタビューだったのである。

聞き出す力――其の八

アイドルに恋愛の話を振るのは意味なし。相手を困らせるだけだと推して知るべし！

ファン喰いを公言していた手島優を取材したとき、これはどこまで作った話なのか確認したら、「膨らませてます。そのファンっていうのは一般のファンの人じゃなくて芸能界の人なんですよ」「ただ、これを言うとヲタの人に夢をあげられなくなっちゃうので」「話を盛り上げたくてつい嘘ついちゃった」と、あっさりカミングアウトしてくれたことがあった。これはまだいいけれど、ファンに夢を与える発言はどこまで許されるものなのか？

ボクの知人が「恋人はいない。いまは弟と一緒に住んでいる」と言っていたキャバクラ嬢に惚れ込み、家賃を肩代わりしたりで数百万円単位で貢いだら、本当は弟ではなく恋人と同棲していたことが発覚したという悲しい事件があった。キャバクラ嬢の「恋人はいない」宣言は、ある意味顧客サービスみたいなものなんだろうが、なんでわざわざ金を払って嘘を聞かなきゃいけないのか。昔、ボクがキャバクラに通ってたときは、本音で話しやすい状況を作り上げ、ざっくばらんに彼氏の話をできるようにしたこともあるけれど、結局はなんでわざわざ金を払って彼氏の話を聞かなきゃいけないのかと思うだけだった。

同じように、「私、全然モテないんですよー」「こういう仕事やってると出会いがなくて困ってるんです」とか常々言っていたアイドルや女優が、その直後にしれっと熱愛発覚したり電撃結婚するケースは非常に多い。

もっとひどいケースだと、処女を公言していたグラビアアイドルについて「ああ、その子なら僕の友達の経営者と付き合ってるよ。一緒に会ったことある」と某お金持ちに言われたこともあったし、処女を公言していたアイドルが事務所の社長と極秘結婚していたケースもあった。プロとして演じるならキッチリやりきってほしいし、そういう子をインタビューして恋愛の話を振るぐらい無意味なこともないだろうし、くだらないギミックの話に付き合うほどこっちも暇じゃないのである。

ボクが女子相手のインタビューで恋愛の話を質問しないようにしているのは、見え見えの嘘を聞きたくないからでもあるし、相手に嘘をつかせるような追い込み方をしたくないからでもある。こっちとしては楽しい話や深い話を聞きたいだけだから、わざわざ本音を話しにくい話題を振ってもしょうがない。ボクがそう考えるようになったのは、おそらくキャリア初期にプロレス雑誌の編集部に在籍していたことが大きいんじゃないかと思う。

プロレスとは本当に特殊なジャンルで、専門誌のインタビューは基本、告知でありノーギャラである。ノーギャラで誌面に出てもらう代わりに次のビッグマッチを盛り上げて、それが上手くいけば雑誌のセールスも伸びるという、持ちつ持たれつのジャンル。構造自体は音楽誌とかにも近いが、決定的に違うのは話の中身だ。音楽誌のロングインタビューでミュージシャンが嘘ばかりつくことはまずないのに、プロレスラーは嘘というかギミックやアングルに則ったことを言わなければならない。プロレスという格闘エンターテインメントの構造についてではなく、プロレスという真剣勝負について話さなければいけないわけなのだ。だからと言って格闘家に「どうやって勝ったのか」を聞くような感じで、プロレスの試合を振り返るのは無理がありすぎる。『真説・長州力』（発行 集英社インターナショナル、発売 集英社、二〇一五年）という本の取材時、プロレスを知らない著者の田崎健太氏が、最初はこれまでの名勝負の映像を長州に見てもらいながら振り返ろうとしたら長州に断られたと聞いて「当たり前ですよ！」と田崎さんに突っ込んだこともあるんだが、長州力はそういう仕事モードのトークが嫌いだからプロレスの話を聞くと不機嫌になるのである。

プロレスラーからなるべく嘘のない話を聞くために、ボクは試合の話を聞かず人間関係ばかりを掘り下げるようになった。そういう意味でボクはプロレスに感謝しているのだ。

聞き出す力――其の九

インタビューに正解はないが不正解はある。どんな巧者でも相手によっては不正解を選びがちなのだ！

インタビューに正解はないけれど、不正解は確実にある。これがボクの持論なんだが、筑紫哲也も『筑紫哲也のき・ど・あい・らく』（晩聲社、一九九四年）という本で似たようなことを言っていた。しかも、それを語るきっかけはちょうど政治家になりたてのアントニオ猪木！

「アントニオ猪木参院議員をどう扱っていいのか、マスメディアにも一般の人たちにも戸惑いがあると思う。またひとりタレント議員が出てきただけなのか、まともに取り合うべきなのか。まして『プロ』の政治家が手を拱《こまね》いて何もしない時に単身、イラクに乗り込むに及んでは……。猪木議員が帰国した夜、そしてわが古巣の新聞社はそれをベタ記事扱いすることにした夜、私の番組に出演してもらった。ひとわたりイラク訪問の話が済んで最後に私は訊いた。こんどの行動をドンキホーテ的、スタンドプレーと見る人もいるがどうか、と。別のコーナーでは街の声を集めたのを見てもらい反応を求めた。七対三の比率で猪木氏の勇気に肯定的だったが、批判もあった。いずれの場面でも本人はきびしい表情で、時には怒気をあらわにして反論した。言うだけの人間には言わせておけばいい、自分は行動するだけだ、という気迫があった。猪木氏は得をした、というのが私と私のスタッフのその夜の共通の結論だった。彼の発言に説得力があった分だけ、意地悪げに見えることになった私は損をする……

プロレスなんてどうせ八百長だろうという世間の偏見と闘い続けてきた猪木にしてみれば、これはいつもと同じ構図である。悪意をぶつけてくる世間は、格好の仮想敵なのだ。

「翌朝続いてテレビ出演した本人は、前夜出たテレビではひどい目に遭ったと不快感を表明したという。猪木氏は私の番組の前にもうひとつのニュース番組に出演した。だが、聞きにくいことを角を立てずに聞く能力で知られるその番組のキャスターも、ジャーナリストとして私の先輩に当たる名コメンテーターもどういうわけかその夜は猪木氏を不快にさせる質問は一切していない。猪木氏が不快だったのが、その番組でないのは明らかだ。がっかりした。ただのタレント、レスラーだと思うのなら私はそんな質問などしないし、番組に出てもらいたいとも思わない。ひとつの行動をした政治家、しかもその行動が既成政治家（屋）への新鮮な批判をふくんでいるからこそ、公けの人として扱ったのである。しかし、彼は本当の意味でのプロの政治家ではなかった。批判されることに馴れていないお山の大将だったのだろう」

おそらく猪木は本気で怒りつつ、批判を材料にして対立構図を作り、イラク人質奪回という物語を盛り上げようとしていたんだとボクは思う。

そのことに気づかなかった筑紫哲也は、こんなインタビュー論を語り始めるのである。「インタビューの成否を決めるのは最終的には問・答のうち『答』である。どんなにインタビュアーが恰好よく振舞おうが、詰問しようが、『答』がなければ零である。逆に愚問であろうが、足すくいの質問だろうが、『答』を引き出せたら成功である。ただ、この場合の『答』とは単なる言葉ではない。相手の正体、本音、本性をどこまで引き出せるかが勝敗の分かれ目なのだ。そのための方法は千と三つほどもある。しかし、絶対これというものはない。挑発し、追い詰めることが有効な場合もあれば、相手の自尊心に訴えたり、警戒心を解きほぐすのが効果的な時もある。相手に信頼されることは大事だが、与し易しと思われてはだめだ。緊張感を与えないような質問者に相手はまともに対応しない」

同感である。そして猪木は、調子に乗せても面白いし、挑発しても面白い逸材のはずなので、どうせなら「もし人質を奪回できなかったら、どうするつもりだったんですか？」と質問して、「行く前に失敗することを考える奴がいるかよ！」と怒らせてほしかった！

聞き出す力──其の十

インタビュアーは二元論に陥ってはならない。どんな人間も善悪等の二元論で語れるわけがないのだ！

最近よく漫画のモチーフにもなっている、トロッコ問題。「制御不能になったトロッコが、このまま進んで行くと五人を轢き殺してしまいます。あなたが線路を切り替えれば五人は助かります。ただし、切り替えた先の線路にも作業員が一人いて、本来死ぬ必要がなかった人が死ぬことになります。あなたはそのまま五人が死ぬのと、死なないでもよかった一人が死ぬのと、どっちを選びますか？」的なことなんだが、そもそも本当にこの二択から選ばなければいけないのだろうか？　これはボクが常々言っている「人間には無数の選択肢があるはずなのに、追い込まれると視野が狭くなって二択ぐらいしか見えなくなる」的なケース（いわゆるトンネルヴィジョン）の一種なんじゃないかと思う。つまり、人生でいろいろ追い込まれて視野が狭くなって「つらいまま生きるか、それとも死ぬか」の二択になっている人が意外と多いけれど、それ以外に「楽しく生きる」といった選択肢が存在するように、トロッコ問題にも「誰も死なせず平和に着地させる」という選択肢があるはずなわけで。線路に石を大量に置いて脱輪させるとか、もっと大きな石を置いてトロッコを止めるとか、そんな感じで。なので、トロッコ問題に対するボクの回答は「落ち着いて別の選択肢を増やす」ってことなのである。

時限爆弾の赤い線と青い線、どちらかを切れば爆弾が止まって、どちらかを切れば爆発。さあ、どっちを切る？　的なパターンも同様で、タイムリミットが迫っているからその二択しかない気になってるけど、ほかにも被害を最小限にする方法はあるはずだし、世の中に「二択しかない」状況はまずないと思うのだ。

これ、もっと広い範囲でも通用する真理だとボクは思っている。たとえばTwitterなんかを見ていると、左右関係なく政治に夢中になりすぎてそこだけしか見えなくなった結果、世の中を「敵と味方」「善と悪」「白と黒」の二つに分類するようになった人も多いんだが、世の中は白黒じゃなくてフルカラーだし、モノクロの世界にもグレーは存在するわけで。

勧善懲悪なドラマとかは単純すぎて面白くないし、嘘くさく感じるはずなのに、なぜか自分が当事者になるとそれがわからなくなっちゃうのが怖いなと本当に思う。

ボクの場合は、「悪役レスラーほど実はいい人」で「善玉レスラーほど実は悪人」だったりというように、「単純な真剣勝負でも単純な八百長でもない曖昧なジャンル」であるプロレスのおかげで二元論じゃない世界を学べたのが良かったのかもしれない。「そう言ってるお前も、インタビューで『今回のゲストは敵か味方か』をテーマにしてたりするじゃないか！」と言われたらその通りなんだが、ちょっと思い出してみてほしい。ボクの浅野いにおインタビューや紀里谷和明インタビューがそんな感じだったと思うが、基本的には「敵だと思われがちないけ好かない人も、ちゃんと話を聞いてみたらそうでもない」という結論になってたはずなのである。

もっと言えばボク自身が、インタビュー相手にとって「敵でもないけれど味方でもない。ただし、心を開いてちゃんと話してくれたら悪いようにはしないし、最終的にはプラスになるようにする」というスタンスでいるように心がけているぐらいで、敵味方の二元論で話されたら全然しっくりこないのだ。

敵だから叩くとか、味方だから褒めるとか、そんなインタビューは面白くも何ともない。なんか気に入らないけれど話してみたら好印象だったとか、好きだったけれど話してみたら違和感が……とか、そういう複雑さをそのまま文章にすることに面白さを感じるタイプなので、「敵だから読まない」とかじゃなくて、「敵だけど馬鹿負けして笑っちゃった」みたいになってくれればいいなと思って、香山リカインタビューを仕上げたら、見出しだけ見て叩いてた人がいてガッカリしたのであった。中身はもっと叩けるネタ多数なのに！

聞き出す力——其の十一

インタビュー相手が極端すぎる人間の場合、こちらも極端な表現を多用して立ち向かうべきなのだ！

前回、「トロッコ問題」を取っ掛かりにして「世の中を二択で考えがちなことの是非」をテーマに原稿を書いたんだが、人間の選択肢には無限の種類があるし、人間自体にも無限の種類がある。血液型ですら四種類、星座でも一二種類に分けているのに、人を二種類に分類しようとしがちなのはなぜなのだろうか？

たとえば「犬派、それとも猫派？」という質問がそれである。世の中には「毛の生えている動物ならなんでも好き」な人も「動物は全部嫌い」な人も多いのに、なんでその二択を要求してくるのだろうか？　動物好きの平和な世界に、あえて不必要な派閥を作り出してどうする？　それにボクみたいに「大型犬は大好きだけど、小型犬のイキってる感じは不愉快」「野良犬は存在しないけど、野良猫はいくらでも存在するから、交流するのはほぼ猫」みたいなややこしいタイプもいるから、ザックリ二つに分類できるわけもないのだ。

そういう意味では「S？　それともM？」という雑な質問もそうだ。世の中には、そのどちらでもないドノーマルな人もいれば、そのどちらでもないタイプのド変態もいる。そもそも、なんで全人類をSM愛好家扱いしているのかサッパリ意味がわからないし、本職のSMの人からしたら「実際にプレイしたこともないなら名乗るな！」って話だと思う。

それに、性指向というデリケートな問題に土足で踏み込んだ結果、「実はゴリゴリのドSで、いまもそこの女の子を調教中なんですよ、ほら」とか告白されても困るはずなんだから、こんな質問を飲み会の定番みたいにしちゃ駄目でしょ！　本音で返されたらとてもじゃないけど受け止めきれないようなことは聞いちゃ駄目！

いまは「異性が好き？　それとも同性が好き？」的なデリカシーのない質問が横行した時代とは違って、「どっちも好き」な人も「そもそも性に興味がない」人も多いということがようやく理解されてきたように、世の中にはいろんな人がいるし、みんな違ってみんないい。多様性の時代なのだ。

そんなボクも、あえて物事を大雑把な二つに分けることがある。最近、『ローリングストーン』という雑誌で矢沢永吉インタビューをやったとき、「ボクの持論で『世の中には矢沢永吉を大好きな人と、矢沢永吉を知らない人しかいない』っていうのがあって」と言うと、永ちゃんは「だろうね」とあっさり言ってのけた。そして、『夏の魔物』という毎回のようにトラブルばかり起きているフェスの主催者であり、毎回のように自身のバンドでもトラブルばかり起きている成田大致という男からCDの帯文を頼まれたとき、「世の中には『成田大致のことを嫌いな人』と『成田大致にバカ負けした人』の二種類しかいない」と書いた。どちらも単なる「好き」「嫌い」の二元論で収まるような人物ではなく、本人のことをちゃんと知ったら誰でも大好きになる永ちゃんみたいな人もいれば、本人のことをちゃんと知ったら単純な「好き」でいられない成田大致みたいな人もいるわけで。

もちろん、そのどちらの場合も本当に二種類しかいないわけがないのは自分でもわかっているけれど、あえて言い切ることに意味がある。極端な人間を伝えるためには、極端な表現のほうがいいに決まっているのだ。

なお、成田大致の極端な人格を伝えるエピソードを最後に紹介しておこう。ちょっと前に自身のグループで何回目かもわからないトラブルを起こし、脱退したメンバーがTwitter でいろいろ告発する展開になったときのこと。そのつぶやきを拡散したファンは全員、『夏の魔物』公式アカウントからブロックされる展開になり、真っ先に拡散したボクはブロックされなくて安心していたら、毎年呼ばれていたフェスからのオファーがなくなったからビックリ。成田大致は常々、「僕の批判をしていいのは、豪さんと掟ポルシェさんだけ」って言ってたのに！　でも、まだ嫌ってないですよ！　いまもバカ負けしている側です！

事前に質問項目を求められるインタビューでは、現場でのアドリブを重視してNG項目をかいくぐるべし！

ボクはＳＨＯＷＲＯＯＭで『豪の部屋』という番組を毎週やっている。言うまでもなくテレビ朝日系『徹子の部屋』へのアンサーなんだが、そんなボクと黒柳徹子が、なぜか田原総一朗やジョン・カビラ、糸井重里なんかと同格で並んで「聞き上手」としてインタビューされた本が存在するのをご存じだろうか？

それが永江朗『話を聞く技術！』（新潮社、二〇〇五年。〇八年に『聞き上手は一日にしてならず』と改題されて文庫化）という本であり、そこで徹子は『徹子の部屋』での「話を聞く技術」について、こう語っていたのである。

「中には『どんなことを聞くか知らせて欲しい』という方もいらっしゃいます。『そんなに恐ろしいことは聞かないから大丈夫ですよ』とお伝えします（笑）。そうそうもう一つ、番組をはじめる前にテレビ朝日に申し入れしたことがあります。『スキャンダルおよびゴシップについて、私に聞けとは言わないでくれ』と頼んだの。というのも、それがあると、お客様が用心しながらいらっしゃるでしょう。そうすると話がちっとも発展しないですね。『聞かれて困るようなことは聞かないから、としていますし、ゲストの方にも前もって『聞かれて困ることはおっしゃってください』とディレクターから聞いてもらうようにしています。なかには、印刷媒体ではいいけれども、テレビでは言わないことにしている、という方もいらっしゃいます」

そう、この「事前に質問項目を送って欲しい」問題には聞き手なら誰もが苦しめられているはずで、ボクはいつも担当編集に「別に送らないでいいし、どうしても送らなきゃいけなさそうなら適当に送っておいて下さい」ぐらいで済ませているし、イベントでそう言われると「ボクも大人だから本当にやばいことは聞かないですよ！　念のためNGがあるなら事前に教えて下さい」と言ったりする。だってこれ、ボクの持論であるインタビュー＝プロレス論でいうと、事前に「明日はこういう技をこういう順番で出して、こういう流れの試合になるので、よろしくお願いします」って感じの事前報告を求めているってことなので、それはさすがにプロ失格だし、こっちもプロだから相手を怪我させるようなことはしないし、試合はあくまでもアドリブで構成するけれど、ちゃんと信用して身を任せてくれたら悪いようにはしないのに！　相手に「いい試合にしたい」って意識があって、ちゃんとこっちの技を受けてくれればなんとかするつもりなんだが、あの黒柳徹子でさえ信用されないで事前に質問項目を要求されるぐらいなんだから、ボクが信用されるわけないんだとは思う。

　徹子は、「その方がどういう方なのか、ということが知りたいわけですから、気持ちよく話していただくということが第一です。もう一つは、よけいなお世話なのかもしれないけど、『この人はいい人なんだ』とか、『優しい人なんだ』『温かい人なんだ』ということが、テレビを見ている方にもわかるのが、私も嬉しいんですよね。自分がそれで苦労したものですから」とも言っている。前半はボクと全く同じ方法論なんだが、後半はちょっと違う。誰もが善人で優しいわけもないし、どうせならこれはタチが悪いなー、ひどいなーっていうエピソードも引き出したい。その上で「なんだか憎めない」に着地させたいのである。

そして、最大の違いはこの発言。

「ほとんどの方は『徹子の部屋』をご存じです。そうすると、私という人が、そんなに恐ろしいことを聞いたりしない、嚙みついたりしないということをたぶんご存じだと思うんですよ。それは長くやってきてよかったことのひとつですね。みなさん信頼して来てくださっていて、心が少し開いているということがあると思います」

ボクのことは事前に警戒している人が多くて、それでもなんとかいい試合に着地させているところを評価してほしいものなのである。

インタビューとカウンセリングは似て非なるもの。特にその話の中身は大きく違うので注意すべし！

たまに「吉田豪のインタビューはカウンセリングみたい」とか言われるので、勉強になるかと思って東山紘久『プロカウンセラーの聞く技術』（創元社、二〇〇〇年）という本を買ってみた。奥付を見たらわずか五年半で四八刷って、この本とあまり変わらないタイトルなのにかなりのベストセラーじゃないですか！

とりあえず目次を見る限りでは、「聞き上手は話さない」「相づちを打つ」「自分のことは話さない」「相手の話に興味をもつ」「素直に聞くのが極意」「嘘はつかない、飾らない（オープンということ）」「話し手の波に乗る」「沈黙と間《ま》の効用」とか、プロインタビュアーとプロカウンセラーの方法論は意外と近そうだなとは思った。ただ、決定的に違うのは「真剣に聞けるのは、一時間以内」という部分だ。

「人の話を集中しながら聞くと、ずいぶん疲れます。聞き手は話し手の何倍も疲れるのがふつうです。ですから、疲れているときに、人の話を聞かねばならないときほど大儀なことはありません。仕事から帰ってホッとひと息つきたいときに、子どもや奥さんから話しかけられると、身を入れて聞けなくなってしまいます。いいかげんな返事をしたり、相手がまだ話しているのに勝手に結論づけて、話し相手の機嫌をそこねたことは、誰でも一度や二度はおありでしょう。これなどまだいいほうで、疲れてるからあとにしてくれと、はじめから聞く耳をもたないという態度をとることだってあります。こんな状況が重なってきたときに、夫婦関係や親子関係がこじれて問題が起こるのです」

え！　ボクはイベントでもインタビューでも日常会話でも自分が中心となって喋るときは疲れるけど、聞き手に徹すると全然疲れないですよ！　さすがに締め切りがやばくて原稿執筆に集中したいときはラジオも切って音楽も聴かず会話もしないモードになるけど、普段はいくらでも会話したいし、話を聞きたい！

カウンセリングモードのインタビューにしたって何時間でもできると思うぐらいなんだ

が、どうも本職はそうじゃないようなのだ。

「プロのカウンセラーが相談者の話を聞く時間は、一回五〇分から一時間です。心のなかに関しての話は、聞くほうも話すほうも、他人同士ならこれが限度です」

「いくら親しい人との楽しいおしゃべりでも、一方的に聞き手にならなければならないときは疲れるのです。職場でも、家庭でも、このようなことはけっこうあるもので、上の者が下の者の話を聞くのがいいのですが、実際には逆のことのほうが多いのです。上司と飲んだときは、家に帰ってからそれを吐き、あらためて家で飲み直さないと眠れないという人がいましたが、これは上司の、酒ではなくて話が飲みこめなかったからです。飲みこめない話をたくさん聞かされると、本当に下痢をする人もいます。話を自分なりに消化できなかったからです」

飲みこめない話を「え!·」とかリアクションしながら聞くのも楽しいのに!……とか思ってたけど、どうやら本業の人は「飲みこめない話」のレベルも違ったっぽいのである。

「『みんなが自分を殺そうとしている。まわりの誰もが私に死ね、死ね、と言っている』と、おびえて、疲れ果て、眠っていないのがひと目でわかる人が来談したとしましょう」

この例の時点でパンチが強いんだが、カウンセラーはこの幻聴をまず肯定するそうだ。

「ところが幻聴を否定しますと、ますますそれにしがみつく人もいます。人間は否定されると心を開かないものです。もちろん、これで病気がよくなるほど、分裂病は簡単ではありません。入院や薬物療法も必要です。しかし、まずは人間的な関係を深めることが、相談者の今後の心のケアには必要なのです」

なるほど、このレベルの話を聞くのは一時間が限界というのは、よくわかる。ボクの場合、妄想にしても悩みにしても、もう少しポップな話が多くて恵まれていたのであった。

早めに相手の懐に入り、信用された上で無駄なく的確に刺激的な発言を引き出せ！

とりあえずハッキリ言えるのは、スッと流れるように相手の懐に入れるのがいいインタビューで、下手したら一時間ぐらい相手の懐に入れないのが駄目なインタビューだってことである。ボクはこれだけキャリアを積んでもなかなか一歩踏み込めず、「求めているのはこういう話じゃないのに！」「でも、話が途切れないから話題も変えられない！」と苦しむことは意外とよくある。そして、そういうインタビューをまとめるのはモチベーションが全然上がらなくて正直しんどいものなのだ。

そんなとき、数年前にボクがやった安彦良和インタビューを読み直したら、流れるような導入のスムーズさに自分でも驚いた。雑談からスッと本題に入り、無駄のない質問で的確に刺激的な発言を引き出す。読者もボクも、求めてるのは間違いなくこういう記事！　ちょっと引用してみよう。インタビューはこんな何気ない会話からスタートする。

安彦　（突然）俺、いままでのゲストの方々のようなおもしろいネタはないですよ。

――え！　そうなんですか？

安彦　ないですよ、そこはすみません。……吉田さんはどのくらいの世代ですか？

――ボクは四五歳（当時）で、小学生のとき安彦さんの最初の小説『シアトル喧嘩エレジー』（八〇年／徳間書店）を買った世代ですね。

安彦　そうですか。俺の一〇年下の人たちがオタク第一世代っていわれてたんですけど、もう還暦近くなってるんですよね。

ここまでは完全に雑談である。インタビューは雑談こそが重要で、だけど雑談だけで終わってはしょうがないから、ここで一歩踏み込んで深い話へと引きずり込むわけなのだ。

——オタクといえば、富野由悠季さんも安彦さんも「アニメは大人になったら卒業するべきだ」みたいな考え方の人ですよね。アニメを作る側がそう思っていたのって、アニメの仕事をやってて申し訳ないって気持ちが常にあったってことなんですか？

安彦　王道を歩んでない自覚があったからじゃないですか？　彼（富野）も、心ならずもアニメをやっているっていうタイプですよね。だから宮崎（駿）さんとか高畑（勲）さんとかだったら、そんなこと言わないと思うんですよ。そこが違う。

——安彦さんにも当然そういう……。

安彦　ええ、「恥ずかしながらこんなことをやってる」って意識が常にあったから。

——それってなくなるものなんですか？

安彦　いまは……開き直ってるね。人に誇れるとは思ってないけども、「恥ずかしながら」っていつまでもイジケていてもしょうがないから。単なる開き直りですよね。よく言うのは『宇宙戦艦ヤマト』のとき、西崎（義展）とかああいういい大人が大金を動かしてトチ狂ってるのを見て、これも大人の仕事なんだと思った。

インタビューのテーマは、この瞬間「アニメとコンプレックス」に決定。そして、せっかく名前が出てきたから、アニメ界屈指の奇人だった西崎義展のことも掘り下げてみた。

——西崎さんとは、安彦さんが虫プロにいた時代から接点ってあったんですか?

安彦 ないない、噂は聞いてたけど。

——変わった人が来たぞ、ぐらいの。

安彦 変わったというか困ったというか恐ろしいというか、ろくでもない人が来た。簡単に言うとヤクザが入ってきたという。

この発言が出た時点で完全勝利! そして、この後も宮崎駿やアニメ雑誌への複雑な感情やらを爆発させて、かなり「面白いネタ」の多い人だと判明するのであった。

そんな感じで、西崎義展や富野由悠季みたいにアクの強い人たちと比べたら大人しくて真面目そうに思われがちな安彦さんだが、とにかくネガティブ！　東映育ちのエリートと虫プロ育ちの雑草組との違いはかなり大きかったようで、ひたすら宮崎駿へのジェラシーを爆発させつつ、自分をちゃんと評価してくれないアニメ業界にもボヤきまくる、そんな大人げないところが最高に面白くてボクは大好きになったのである。

聞き出す力――其の十五

よいインタビューとは、究極的には、相手が話したいことを自然に話せるような流れを作るだけでよい！

最近ボンヤリ考えているのは、いいインタビューというのはあまりにも自然すぎて、客観的に見たらその上手さが全然伝わらないぐらいのものなんじゃないかってことである。ちょっと『風雲！たけし城』の竜神池をイメージしてもらいたいんだが、誰かが池の上を歩こうとしたら次々と小さな石みたいなものが水面に出てきて、日常と同じような気軽さで水上を歩けちゃうけど、気がついたら予想外のところに辿り着いているような感じ。何も考えず次々と足を出す先に石を用意して、それでいながら意図的にある方向に導くように質問していくのが理想というか、そもそも質問である必要もない。相槌とかオウム返しでもいいから、相手が話したいことを邪魔せずスムーズに話せるようにすることが重要なんじゃないかと。なので「吉田豪、鋭い質問するなー」とか言われるより、「すごい話しやすそうだったなー」と思われたいのが正直なところなのである。

何かを仕掛けるよりも、スッと置き石をするようなスムーズな会話は、ボクのSHOWROOM番組『豪の部屋』でかなり実現できているとは思う。基本は「へー!」とかのリアクションと、「そこ!」とか「なんで!」みたいに話をより深く持っていくためのシンプルな一言を多用するぐらいなので、「吉田豪、あまり喋ってないな」とか「うなずいてるだけで省エネだな」とか言われるぐらいでちょうどいい。「あの番組に出たらひどい目に遭わされる」ではなく、「あの番組に出たら普段あまり言えずにいることがどんどん言える」って思ってほしいんだから、ボクの発言は置き石程度でいいのである。ボクが水上に花道を設置するレベルで話すときって、それは「いつものやり方だと成立しないな」と察して頑張っている回だから、それを「吉田豪のああいう部分を引き出したゲストもすごい」的に語られるとモヤモヤもするけれど、実はそう思われるぐらいでいいのだ。

ちなみに、この原稿を書いているのはアイドルとのトークイベントを終えた直後なんだが、イベント後にボクの質問なんか一切記憶に残ってなくていい。会話がスムーズだったとか、いつもより深い話になったとか、新しいキャラを引き出してくれたとか、そんなことを思ってくれればそれで良し。なお、たまに「吉田豪がえげつない質問を連発してて最高だった」とか言われることはあるけれど、それは聞かれても話せないデリケートゾーンが相手に存在する場合のこと。そこを避け続けても不自然だし、当たり障りのない上澄み部分だけ触れてもモヤモヤするから、あえて土足でデリケートゾーンに踏み込むことで、相手がちゃんと答えられないのはわかっているけれど、その表情なりリアクションなりを楽しんでいるのだ。「今日はちょっと聞きにくいことが多いんですよね……」「え、何を聞かれても大丈夫ですよ」「じゃあ……あのグループをなんで辞めちゃったんですか?」「……え!」みたいな感じで、雑誌のインタビューだと原稿チェックで削られるようなことも、トークイベントだとその空気感込みで観客と一緒に楽しむことができるのである。

その場合、「吉田豪が踏み込んでるのに、なんでちゃんと答えないんだ!」とゲストを叩くような流れにはならず、「吉田豪はなんであんな失礼なことを質問するんだ!」とボクが叩かれるような流れにもならず、観客側も「うわ、踏み込んだ!」「ゲストが困ってる!」「面白い!」で完結しがちだから、そのリテラシーの高さは本当にありがたいと思う。

なお、イベント後、「質問にちゃんと答えられなくて……」と反省するゲストに、「あれが正解なんですよ。全部赤裸々に答えられたら、こっちが困ってました」とフォローを入れて本日の業務終了。こっちも崖のギリギリに立つスリルは味わいたいけれど、崖から落としたくはないんだから、これでいいのである。

聞き出す力——其の十六

面と向かって話ができない、相手の反応がよくわからないときは細心の注意を払うべし！

新型コロナウイルス感染防止のための自宅待機要請によって、ボクの仕事のスタイルはどんどん変わってきつつある。ロフトプラスワン系列でのトークイベントも無観客有料配信が増えて、それ自体は意外と悪くないかもというのが現時点での感想だ。もちろん観客の生の反応を目の前で感じながらのイベントのほうがやりやすいし楽しいのは当然なんだが、いつも行きたくても行けない遠方の人や、スケジュールの都合で行けなかった人もアーカイブが二週間ほど残るから課金できるし、こんな時期なので「大好きなトークライブハウスを救え！」的なスイッチも入るから、現状ではいつもより見てくれる人も増えてギャラも多くなるぐらいの状態になってるためである。

ただ、最初は出演者が無人の客席に向かって普段と同じように話していたのが、最近はボク以外の出演者が自宅からのテレワーク出演となり、ボク一人で会場から配信するパターンも増えてきて、これはちょっとやりにくい。

どうしてもネット上の相手とは微妙なタイムラグがあるし、いつもは相手の表情を見ながらアイコンタクトしたり、相手の呼吸を読んだりして、こっちが話すタイミングを見計らっているけど、それがよくわからないから会話が衝突しがちになり、「あ、お先にどうぞ」「いえ、そちらが先にどうぞ」というダチョウ倶楽部みたいなやり取りも頻発。この調子でキツめのジャブを入れたとき、相手の反応がよくわからないまま、本気でカチンときていることにも気づかずトークを続けたりで、いつか大事故だって起きかねない。直接面と向かって話すことの重要性を、いま嫌というほどに味わっている次第なのである。

今度、ついに面識もない相手のビデオ通話インタビューを依頼されたけど、これ、かなりハードル高いんじゃないのかなあ……。

SHOWROOMも含めたネット配信やラジオ出演も自宅からのテレワーク出演が当たり前になってきたので、とりあえずライトやいいマイクやウェブカメラやノートパソコンのスタンド（画面を見るとき目線が下向きにならないようにするもの）を買ったりで配信環境を整えてみたりして。しばらくこの状況が続くのは確実だし、どうにもならないんだから、いまはこういう買い物でテンションを上げたりしながら、少しでも楽しく過ごすしかないのだ。

なお、世の中のほとんどの人が困っている状況だからこそ、もともと趣味は課金なのでいつもよりも積極的にいろんなものに課金するようになった。なので、アイドルの有料配信番組も見まくっているけれど、ちゃんと面白いものはごく少数というのが正直な感想。

それまでアイドルのトークイベントは、大好きな推しを生で見られて、イベント後に接触できるから一切文句なし！　って感じのファンビジネスとして成立していたのが、これからは内容を問われる時代になるんだろうなとも思っている。有料配信がどんどん増えて競争も激しくなりつつあるし、この状態が続くとファンの側の収入も落ちたり職を失ったりで、推しに課金するどころか自分の生活をなんとかしなきゃいけなくなるわけで。ただまあ、内容が問われるようになったらボクが聞き手として呼ばれる機会も増えるんじゃないかと、そこは楽観視していたりもするのだ。

コロナ陽性を告げられて落ち込む宮藤官九郎を、医者が「精神的に落ち込むことによって免疫力が下がるから。大丈夫だから」と励ましたそうだが、まずはそれ。気持ちで負けず、体力的にも負けず、後はなるべく対策すること。こんな世の中になると自転車移動派なのが三密回避のためにも体力維持のためにも最適だったと思うし、誰かと飲みに行ったり全然しないのも、SHOWROOMのおかげで自宅で配信する環境が出来ていたことも、ベテラン漫画家インタビューを休止しようと考えていたことも、いろんなことがプラスになっている気がしてきた。というか、そう思い込むぐらいしか道はないのである。

インタビューにおいてマニアックすぎる質問は避け、興味がない人にも関心を持たれるような話をすべし！

最近、ＥＸＩＴ兼近が芸人の世代間ギャップとして、先輩が「プロレスの人とかで例えてくるけど、こっちは気を遣って笑うしかできない。何言ってるんだ、この人たちはって感じ」と言っていた。それはすごいわかるんだが、ボクがプロレスラーをインタビューするとき試合の話をろくに聞かず、人そのものを掘り下げるようにしているのは、プロレスを知らない人にも面白さがちゃんと伝わり、プロレスを知っていればさらに楽しめるエピソードを引き出すことをテーマにしているためだ。

でも、これぐらい踏み込みすぎた話だと興味のない人には一切届かないだろうなと、『ウルトラセブン研究所』（二〇一七年）という同人誌を読んで思った。これはみんな大好きな円谷プロの名作『ウルトラセブン』ではなく、全日本プロレスが一九八二年にデビューさせたものの、ほとんど再評価されることもない地味な覆面レスラー、国際プロレス出身の高杉正彦扮するウルトラセブンの研究本。マスクの変遷や全試合のデータが載っているんだが、興味深いのはトークショーのレポートだった。

二〇一七年、ネイキッドロフトで開催された高杉正彦と元『週刊ゴング』ドクトル・ルチャ清水勉氏のトークショーの質問コーナーで、この作者がこんな質問をしたらしいのだ。

「ボクは高杉さんが当時被っていたマスクが好きで研究させていただいてまして、まず最初にマルチネス製を一〇枚作ったと、最近のインタビューで読みました。そのうちの何枚かは、高杉さんがご自身で、目のメッシュの部分をハサミで切ったと思います。教えていただきたいのは、一〇枚のうち、目の部分を切ったのは何枚だったかです。もし覚えてみえましたらお願いします」

え、それ全然興味ない！……と思ったら、「自分で言うのもなんだが、この質問はイベントの主催者にとってもほかのお客さんにとっても、それから主役の高杉さんにとっても答え甲斐のある質問だったと思う。客席からも、たしかにそこ興味あるよねって感じの空気になった。だから高杉さんも清水さんも私の質問に張り切って答えてくれた。それは「ただ、予想していた通り、高杉さんははっきりとは記憶にないという感じだった」とのこと。それは想定していた。マスクに無頓着なのは長年見ていたらわかる。高杉さんの答えはこうだった。『最後の三枚だったと思う』って、肝心の答えもボンヤリしてる！

そして、別のイベントのレポートでは他の人のこんな質問も紹介されていたのである。

「大阪府立体育会館へ全日本プロレスを見に行ったとき、セブンさんの試合の際に花道で私の近くに居た少年がセブンさんの背中からマスクを後ろから叩いたら、パッと振り返って、その少年を思い切り足で蹴っ飛ばしたんです。その子は二メートルくらい吹っ飛んでいました。そんなシーンを目の前で見てとても衝撃的やったんですけど、覚えてますか？」

この話題なら興味ある……と思ったら、「念のため書いておくが、その人がその質問をぶつけた意図にはまったく悪気はなく、おもしろいエピソードを披露したいという気持ちが感じられた。ほかのお客さんも軽く笑っていた。ヒーローがちびっ子をケリ倒す。そこがツボなわけだ。ところが高杉さんは笑わなかった。いや、笑えない思い出だったのだ。『覚えてますよ』。表情が一気に曇ったのがはっきりとわかった」と続くのだ。

要は、「とにかく当時の子供のファンはマナーが悪くて腹が立ったと。そんなことは何度もあったかのような言い方だったが、その日はあとでエライことになってしまったからしっかり記憶に残っていたのだ。その子の親が怒って警察に被害届を出したのである。試合後に警察に呼ばれて事情聴取を受けたと言っていた」とのことだが、それでもこのエピソードを引き出したら勝ちだと、マスクに興味のないボクは思ってしまった次第である。

聞き出す力――其の十八

インタビュアーにとって、文章の構成も見せどころ。聞き出した話を全て使うのではなく、最高の魅せ方を！

いろんな意味で伝説級の存在だからレジェンドと呼ばれるようになった、小日向由衣というアイドルがいる。『武道館アイドル博』（二〇一八年）というイベントのトークコーナーでも、言動も外見もアイドルらしさは正直ほとんどないけれどインパクトはありすぎて司会のチュートリアル福田さんのツボを的確に突きまくった彼女を、なぜかボクが老舗音楽誌『ミュージック・マガジン』で取材したときの話を紹介してみよう。

結局、彼女の音楽遍歴をたっぷり掘り下げるはずが、ハードすぎる人生を掘り下げる流れになったんだが、それがまたかなりの濃厚さだった。ライブハウスに出たかったけど出方がわからなくて事務所に応募したら、「いまの時代オールマイティになんでもできないと使いづらいから、本当にやりたいことは有名になればできる」って言われてモデル歩きの練習をしたり、絶対一生公演されない演劇の練習をしたりで、いきなり迷走を始めた彼女。「その事務所のときってお金を払ったりはしてたんですか？」（吉田）、「めっちゃ払ってました。そのレッスン代を回収できるほど仕事が来るからって言うんですよ」（小日向）、「それで何か仕事したことは？」（吉田）、「ないですね」（小日向）、「早く気づいて下さいよ！」（吉田）というやり取りも完璧すぎるよ！　バンドオーディションを受ければ、これもまた詐欺でオーディション費用だけ取られる。しかも当時は学校にも馴染めなくて、学校の心理カウンセラーみたいな先生に、「あなたは宇宙人だから地球の人とはうまくやれない。あなたはもっと地球人の気持ちがわかるようになったほうがいいから愛を知りなさい」って言われて、みんなの前で『愛の賛歌』を歌わされる。バイトをしてもファミレスで料理を持っていくときに唐揚げをつまみ食いしてクビになったり、漫画喫茶で元気な声で返事をしすぎてクビになったり、消火器の黄色い部分が気になっていじったらピンが抜けて中身を噴射してクビになったりで、そんなとき誘われて行ったのが地下アイドル現場だったのだ。

ライブハウスに出るにはバンドを組まなきゃいけないと思っていたら、みんなカラオケで歌ってるしカヴァーだし、これならやれそうだと、そこがアイドル現場だともわからないまま、オタクに「バニーガールのコスプレしろ」「手拍子したいからボカロ曲を歌え」と怒られればそれを鵜呑みにして実行していたのである。

そんなことをしていたある日、「突然起き上がれなくなったの。朝テレビ点けたら『うるさい！』ってなってテレビも観られなくなって、携帯も見られなくなって。お風呂も泣きながらやっと入るし、部屋にいてもソワソワして。時間を潰すのに本を読むとか人と会うとか全部できないから、無限に長い時間をずっとつらい状態で。(略) 音楽活動は全部止まってる。音楽ほど無理なものはなかった。『音楽は敵だー!!』みたいな(笑)」

そんな彼女の鬱病が治った頃に出会った眉村ちあきの影響もあってオリジナル曲でライブをするようになった……という話は全カット。インタビュー冒頭で「(激動の人生と音楽遍歴をたっぷり語るが、文字数の都合で省略)」というフレーズが入り、「いい話なんですけど、もう取材の終了時刻になりました！」(吉田)、「やだやだやだやだ！」(小日向) というやり取りも飛び出す異常事態！　ここからようやく今回発売されたアルバムの話になるのかと思えば、このアルバムを聞いてお母さんが喜んでいたという一見すると平和な家庭っぽいエピソードの裏側を掘り下げていく、音楽誌のインタビューとしてはありえない構成にしてみた次第。離婚して心を病み、常に死にたがり、音楽を嫌い、彼女が音楽をやろうとしても髪の毛を引っ張って止めていたような人が、若年性アルツハイマーを経て彼女のＣＤで楽しそうに踊るようになったという、その人間ドラマは他のミュージシャンよりも確実に説得力があるはずなのである。

話を聞き出しすぎた結果、半ばカウンセリングのようになりそれはそれで面白くなることも稀にある！

以前この連載でも紹介した、あまりにも伝説的な失敗エピソードが多いためレジェンドと呼ばれているアイドルシンガーソングライター・小日向由衣のインタビューを、またやってきた。「宣伝資料とかでボクの名前を使ってもいいですよ」と言った結果、「あの吉田豪が〝今もっとも気になる存在〟と一押し」という効果があるのかどうかわからないキャッチフレーズを使い、プロフィールの主な略歴も半分がボク絡みになってたりと、なんだかおかしなことになってて驚いたんだが、今回も媒体は『ミュージック・マガジン』という、かなりちゃんとした音楽専門誌。それなのに前回は音楽の話もしないで、経歴の話も全部カットして、お母さんとのエピソードだけで埋めるという無茶をしちゃったし、今回はもう少し音楽の話もしているとはいえ、やっぱり面白いのは音楽と全然関係ないエピソード。日記で「こんなに頑張れない私がライヴとか制作だとちゃんと頑張れるのがすごい」と書いていたことに触れると、彼女にスイッチが入りこう言い出したのである。

「そうなんですよ！　私、頑張れないんですよ！　努力が嫌いで、頑張ろうと思った瞬間から涙が出てくるんですよ。コンディションによってはお風呂でもそうなんです。お風呂に入りたい、頑張って入ろうと思った瞬間に涙が出てきて。喉がめっちゃ渇いて、冷蔵庫を開けたら何もなかったからコンビニに飲みもの買いに行きたいっていうときに、頑張らないと玄関から出られない日もあるんです。靴履いてウーンってなって。そういうときは一回歯磨きして。で、その勢いで買いに行くんです！　豪さんはどうですか？　面倒くさいことに泣いたりしない？　洋服を着るのが面倒くさいとか」

ボクが「全然ない。風呂も大好き」と答えると、「え、じゃあ夜中に全裸で泣いたりしないタイプですか?」と、全く意味がわからない質問を始めるのだ。なんでそうなる！

「お風呂から出て洋服着るの忘れたまま寝ちゃったパターン1。パターン2は帰ってきて疲れすぎてて洋服のまま寝ちゃって、動きづらさから全部脱いだら寒くて、夜中に服を着たいっていうことで起きて服を着ようと思ったときに、寝起きだし何を着たらいいかわからなくて泣くっていう。何を羽織ればいいかとか、パンツはどこにあるのかとか、そういうことがわからなくなっちゃって」

こんな話でインタビューが終わりそうになり、「……私、大丈夫ですか？　わけわかんないですよ！　私は何を言いに来たんだろうか！　アルバムに込めたいろいろな思いとか、もちろんあるんですよ！　私の脳内にはあるんですよ、熱い思いも言葉も。でも、口からは何も出てこないんです！」と絶叫するから最高なのだ。

ただ、会話は苦手だけど歌詞ではそれなりに言いたいことが言える模様。「前は気づかないうちに（歌詞には）ストッパーがあったんですよ。ちょっと核心を突いた言葉は避けたいみたいな部分があったんですけど……豪さんのカウンセリングを受けてから変わりました」って、ボクはインタビューこそしたけどカウンセリングはしてないよ！

でも、どうやら前の取材でお母さんへの複雑な感情を聞いたことが大きかったらしい。

「そう。だって、まず人に話さないじゃないですか。『あなたのお母さんはどうですか？』って聞く人がそもそもいないから。それを話していくうちにカウンセリングになって、そういう気持ちの部分も出していいかなって思ったんですよ。だから歌詞としての言葉の幅は、これから広げられると思います」

インタビューやイベントで、かなりデリケートな部分にまで踏み込んで話を聞いてきたけれど、それが創作の上でプラスになることもあったのである。

聞き出す力――其の二十

知られざるエピソードというのは往々にして知りたくないものだったりするのだ！

ボクはいま、『プリーズ・キル・ミー』（Pヴァイン、二〇二〇年）という最近復刻された音楽本を読んでいる。二〇〇七年にメディア総合研究所から発売されたオリジナル版に、いまでは二万円近い値段がつけられているのは、その赤裸々すぎる内容ゆえだ。

これ、ヴェルヴェット・アンダーグラウンドに始まるパンク周辺の証言集なんだが、とにかくセックスとドラッグの話ばかりで中身がエゲツない。反政府的な活動で知られたMC5にしても、「俺らはひどい性差別主義者だった。ポリティカル・コレクトなんてかけらもなかったよ。革命だ新しい時代だこれまでと違うんだって偉そうな御託並べて、実際のところはさ、男は勝手放題やって、女はそれをつべこべぬかすな、と、そういうことだったんだ」「俺らのバンドでは俺が一番手だった、確か俺がうつされたのは九回だよ。だけどデニス（・マシンガン・トンプソン）には負けるぜ——あいつ十二回も淋病もらったんだから」（ウェイン・クレイマー）なんてことばかり言ってるし、その盟友ストゥージズにしても、出てくるのはこんな話なのだ。

「ニコとはやりまくった。一日じゅうってくらいだな」（イギー・ポップ）

「今でも覚えてる。彼女がいなくなってからイギーが降りてきて、ちょっと訊きたいことがあるって言うんだよ。俺に近づいてきてさ、『あのさ、俺な、何だか変だと思うんだ、たぶんおまえならわかるだろ、これ何だ?』と。で、ぱっとチンコ出した。つまんだら緑色のどろっとしたのが出てきた。そりゃ俺にはわかったさ。『ああ、もらっちまったんだな』。ニコからうつされたのさ、イギーの淋病初体験だ」（ロン・アシュトン）

どうですか、この神格化されたミュージシャンの知りたくもないエピソードの数々！

イギー・ポップがプロモーションでラジオの生放送に出たときの、「イギーは素っ裸になって、ラジオでマスターベーションやりだしたんだ！　それでマイクに向かって言いはじめた。『もう着てるもん全部脱いで、今キンタマいじってる……』。そのあとラジオ局のエレベーターにチェリー・ヴァニラと一緒に閉じこもって、彼女をレイプしようとしたんだぞ！」（リー・チルダース／写真家）って話もどうかしてるし、そんな感じで関係者やグルーピーの証言も多数。エレクトラレコードでMC5やストゥージズと契約し、後にラモーンズのマネージャーになったダニー・フィールズという男が、伝説のNYパンクバンド、テレヴィジョンについて語るコメントも完全にどうかしていたのである。語るポイントはその革新的な音楽性ではなくて、なぜか肌！

「テレヴィジョンは最高だって思ったよ！　リチャード・ヘルの腕とトム・ヴァーレインの首筋、もうくらくらした、あれを見たあとじゃ、俺はもう、アートも音楽も、人生も愛も詩も要らない、これさえあれば俺は幸せになれる、って思ったね。あんなゴージャスな奴らはそれまで一度だって見たことなかった。あのふたりの肌といったら……世界一だ、比べられる相手なし、最高の肌だ。（略）そのうえリチャード・ロイドがいた。俺のファック相手だった奴。リチャード・ロイドとは誰もがヤッてたよ。これがまた素晴らしい肌の持ち主でね」

リチャード・ロイドも、ついでにラモーンズのディー・ディー・ラモーンも「男娼」エピソードが当たり前のように語られていることに驚いたんだが、オリジナル版発売当時のダニー・フィールズのインタビューをネットで発見したら、「リチャード・ヘルとトム・ヴァーレインの肌は本当に美しかった。ロイドはモテたよ。色んな奴にファックされたはずだ。私もファックした」「ディー・ディー・ラモーンだって時には男娼だった」と、やっぱり余計なことしか言ってなかったのである。ここでも絶賛するポイントは肌！

聞き出す力――其の二十一

インタビューにおける共感は、あってもなくてもいい。たとえ共感できない話でも面白ければよいのだ！

以前紹介した、ニューヨークパンクのレジェンドたちのクールなイメージが台無しになる、セックス＆ドラッグ＆性病絡みのどうしょうもない発言ばかりを集めた『プリーズ・キル・ミー』。その本の巻末に掲載されていた、著者レッグス・マクニール＆ジリアン・マッケインによる「インタビューに関するアドバイス」をここで紹介してみたい。

「インタビューについての具体的アドバイスとしては次の三つがある。㈠自分の話はしない（相手から訊かれない限り）、㈡アイコンタクトを欠かさない、㈢簡単な質問から始める。録音費用など気にかけなくていい。重要な質問を切り出すためには、時には一時間かけてインタビュアーに対する緊張を解いてもらうことも必要だ。大抵インタビューされる側は喜んで自分の過去を話してくれるが、かつての軽率な言動に触れられると、テープを回したところでは話したがらないかもしれない。そういうときは慎重に、だが徹底的に取り組んでいく。全ての相手に対して誠実に、そして賢く接し、こちらは物語をすっかり知り尽くしていること、それを正しく伝えるためにはその人の声が必要であることをわかってもらう」

　これは「かつての軽率な言動」ばかりを掘り起こす物騒な本だからこそ、誠実に接して相手に信用してもらったり、もしくは「全ての証拠は揃ってるんだからとっとと白状しろ」と追い詰めたりするしかないんだろうが、ボクとやっていることはほぼ同じである。

　ボクがインタビューで自分の話をするのは「ボクもあなたみたいなことをやった経験あるんですよ」とか「あなたの好きな●●と、こんな接点があるんですよ」とか、相手との距離を詰めるためのエピソードを話すときぐらいのもので、基本的に自分の話はしないし、「大丈夫！」「ちゃんとわかってますよ！」的な意味を込めたアイコンタクトもよくやっている。インタビューはつかみが重要だというボクの持論にしても、最初から相手が答えにくいことを聞いてもしょうがないので、簡単な質問から始めるというのもわかる。「こちらは物語をすっかり知り尽くしていること」を伝えるというのも下調べの重要さと同じだろうし、いちいちボクの方法論と重なっていたわけなのだ。

そして結局、相手に心を開いてもらって、話を聞き出す上で重要なのは「共感」だってことなんだと思う。だからと言って、いちいち「わかります！」とか言ってると信用できない感じしかしてこないし、そこまでいくと確実に嘘！

なので、ボクは嘘をついてもしょうがないから、相手の言っていることに共感したときだけ「わかります」と言うようにしている。じゃあ、わからない、理解できないことを相手が言い出したときはどうするかというと、「ダハハハハ！　どういうことなんですか、それ！」とか「意味がわからないですよ！」とか言うことで、「これは理解できないけれど、面白い話っぽいですよ」と読者なり観客なりに伝えつつ、相手も突き放さず、より深く話を掘り下げていくのだ。

最近、ミュージシャンのラブリーサマーちゃんはTwitterで「こんなインタビューで食ってけてるんだってくらいありえないインタビュー受けた」「一ヶ月のうち一〇時間分くらいインタビュー組んでもらってるけど、そのうち半分くらい、同じ質問には同じ答えで返すロボットみたいになってるよね私。その時間で練習とか勉強とかできるじゃん」とか言っていた。そんな彼女をインタビューして「わかる！」と言ってきたばかりだったりもするんだが、実は相手のことはわかってもわからなくてもいい。共感することで話を引き出しても、共感できないことで話を引き出しても、面白くなれば問題なしなのである。

聞き出す力――其の二十二

会話において、無理に面白いことを言わなくてもよい。その場合においての自らの役割を見出すのだ！

最近、会話術的な本を読んだら、「面白いことが言えなくて困る」と悩んでいる人が多くて驚いた。そもそも会話術的な本を読むだけで面白いことを言えると思ったら大間違いだし、そんな簡単に面白いことが言えるんだったら芸人なんて職業は成立してないよ！

テレビの世界を見ればわかるように、的確に面白いことを言える人はごく一部だし、的確に情報量が多くて深い話をできる人もごく一部。それ以外の人はリアクション担当だったり、ものを知らない担当だったり、女性目線でコメントする担当だったり、ツッコまれる担当だったりと、いろんな役割があって成立しているわけで。つまり、あなたも自分の世界でそのどれかの役割をすればいいだけであって、そこで何も一番難しそうな「面白いことを言う」担当になる必要はないのである。リアクションがいい人がいれば話は弾むし、ものを知らない人がいればその人にもわかるように話をするから間口が広くなるし、男同士で盛り上がるのも楽しいけれど女性が入ればまた話も広がる。そんな感じで、あなたはあなたの役割に準じればいいだけの話なのだ。

ちなみにボクがやっているのは、面白いことを言える人の良さを引き出す担当であり、誰かが何かを言ったときの情報を補足する担当であり（名字しか出てない人名をフルネームで言い直したり、役者や歌手ならその代表作を言ったり）、司会の補佐みたいな感じで誰かに話を振ったりする担当である。つまり、あの人はまだ話題に入れてないなと思ったら話を振ったり、これはあの人の得意分野だなと思ったら話を振ったりする、テレビで言うところの〝裏回し〟的な役割の人だが、そこに隙だらけの人がいればボクもツッコむ担当になる。

たとえば氏神一番を思い出してほしい。この人自身は特別面白いわけではないんだが、あまりにも隙が多すぎて、いくらでもツッコむ要素があるから、いじられると異常に面白くなる。そもそも元禄三年から現代にタイムスリップしてきたという設定だから、「年齢はおいくつなんですか?」としょっちゅう聞かれるはずなのに、その度に「え……いくつだっけ」と無言になって、白塗りなのに顔面蒼白になっているのがわかるぐらいキャラクターの作り込みが甘くて(その辺り、実年齢に一〇万歳を足すシステムのデーモン閣下は本当にクレバーだし、キャラの作り込みも完璧)、誰でもいくらでもツッコめる。かつて川上哲治は「ボールが止まって見えた」と言ったが、氏神一番は誰でもツッコめるレベルで、いつ何時でも止まって見える男なのだ。

つまり、自分が面白いことを言わなくても、隙だらけになることで面白いやり取りが生まれればそれでいいことが氏神一番を見ればわかるはず。先日、ボクの生誕祭のゲストに呼んだときも、ビックリするぐらい面白かったのだ。ボク以外はほぼZOOMでの出演だったんだが、ボクや掟ポルシェや大槻ケンヂといった手練れが全力でツッコみ続けているのに、それでも追いつかないぐらいにひたすら隙だらけ!

完全に氏神一番ワンマンショー状態で前半が終わり、休憩を挟んで小西克哉ゲストでちょっと硬派モードの後半に入ったら、なぜか呼んでないのに再びZOOMで氏神一番が登場。明らかに前半で自分が笑いを取りまくって気持ちよくなり、後半にも出てチヤホヤされたい的な魂胆が丸見えだったんだが、後半のトークには全く入り込む隙もなく、ボクも話題を振らないので、氏神一番は明らかに困り果てていた。

そこで彼はどうしたかというと、徐々に体を横に倒してZOOMの画面から消えていくという、セルフフェイドアウトによって、最後の挨拶をすることもなく、しれっと行方をくらましたのである！　最高に笑いを取って余韻を残したままいなくなればもっと好印象なのに、最後まで余計なことをするのもいちいち氏神一番。面白いことは一切言えなくても、氏神一番は最高に面白い生き物なのである。

聞き出す力――其の二十三

自分の話を誘い水に相手を話しやすくもっていくのもテクニックの一つなのだ！

お笑い第七世代とは何の接点もないまま生きてきたボクに、かまいたち濱家インタビューをしてほしいという依頼があった。しかも媒体は『クイックジャパン』とかじゃなくて、白泉社の育児雑誌『KODOMOE』。この雑誌の主な読者は出産直後の女性なので、子育てとかの話もしてほしい、とのこと。

独身のまま五〇代に突入したボクみたいな人間にとってはかなり過酷なミッションだし、芸人取材の場合、どこかの番組やイベントで共演したりとかの接点があればやりやすいけど、それも一切なし！　しかも、下調べのために、かまいたちのYouTubeチャンネルを見まくったら、濱家さんは「子供のときの話は掘られたくなくてセメントで固めている」

と言ってるのに、編集の要望は「幼少期の貧乏の話を掘ってほしい」だったのである！

そこでボクが考えた対処法は、「自分の貧乏話を積極的に披露して、濱家さんに話しやすくさせる」というものだった。なお、実際に本人から聞いたところによると、離婚した父親が多額の借金を抱えていて、そこには洒落にならない何かがあって話せないけど、それ以外なら別に話しても大丈夫とのこと。

「物心ついた頃から貧乏だったんで、自分が貧乏っていうのは感じてなかったですね、こういうもんやと思って育ってたので」

「たぶん生活保護とかもらえたんやろうけど、もらわずに母親が働いてたんで、昼も夜もあまり家にはいなかったですし、ボロボロの文化住宅みたいなとこに住んでました」

そう語る濱家さんに、ボクは「友達と比較して気づくわけですよね」「ボクも友達との比較で『あれ、ウチっておかしいのかも？』って気づいたタイプでしたけど」とトスを上げ、こういう話をしてみたのである。

「友達が家に来て、『おまえんちのミロは薄い』って言われて。『え、ミロってお湯で溶くんじゃないの？　牛乳だったの⁉』みたいな」

するとと濱家さんもスイッチが入り、「ハハハハ！　それ、めっちゃわかります。僕はバンホーテンのココアを初めて牛乳で飲んだとき、めっちゃ感動しましたもん。水でやるんちゃうんやって思いました。一緒ですね（笑）」と意気投合。続けてボクが「あと、ボクは子ども部屋が廊下だったんですよ。アパートの廊下に姉とふたりぶん無理やり机を入れて、普通に生活してました」とトスを上げると、「ああ、わかる。ウチも子ども部屋はなかったな。文化住宅もほんまにボロボロで」と、いちいち貧乏話でわかり合う二人。

そして、貧乏だったから誕生会に憧れがあったみたいな話になり、「ボクも小学校のときに初めて友達の誕生日パーティーに呼ばれたとき、お金がなかったので一〇〇円のプラモデルを持っていったとき、『え？』って感じの空気になって」とボクが言うと、またもや濱家さんにスイッチが入ったわけなのだ。

「めっちゃ一緒！　めっちゃ一緒です！　僕もなけなしの一〇〇円で駄菓子を買って行って。最後にそこの子がお返ししってみんなにお菓子を渡すんですけど、三倍ぐらいデカいお菓子もらって。『え、濱家にお返し渡すの嫌やー』ってお母さんに言ってるのが聞こえたとき、めちゃくちゃ恥ずかしくて……」

ちなみに、このときボクが持っていたのは『宇宙戦艦ヤマト』のメカコレクション。それなのに高額なお返しをもらってボクも複雑な感情になったと話した後で、「そのへんが関係してると思うんですよね、濱家さんがインタビューで『お金が欲しい』的なことをすごいストレートに言ってるのは」と踏み込み、「ハハハハハハ！　僕はほんまに高い服を着て美味い飯を食ってデカい家に住むために芸人になったんで、とにかく大金持ちになりたいです」とキッパリ宣言するに至ったりと、世代を超えて意気投合したおかげで踏み込んだ話もできたし、接点がなさそうな相手でもやり方次第でどうにでもなるのであった。

聞き出す力——其の二十四

インタビューとテレビの記者会見は求めるものが異なる。テレビは映像素材を追求し、答えは求めないのだ！

最近だとアンジャッシュ渡部建のときがそうだったんだが、大きめな記者会見がある度に「質問がひどすぎる！」「こういうとき吉田豪がいてくれたらいいのに！」と、何もしないでボクの評価が上がりがち。漁夫の利とか濡れ手で粟とか、いろんなことわざを思い出すレベルで褒めてくれるのは嬉しい限りである。しかし、ああいうとき芸能レポーターも含めた芸能マスコミが求めるものとボクが求めるものは全然違うので、それを比較することにはあまり意味がない。これはつまりスピードスケートとフィギュアスケートを比べて、「こっちのほうがスピードが速いのに！」「いや、こっちのほうが芸術的なのに！」と争うようなもので、確かに一見すると同じジャンルにも見えるけど最初から別物なのだ。

いや、「もっとちゃんと答えやすい質問をすればいいのに!」とか「同じような質問を繰り返しすぎ!」とか、イライラする気持ちもよくわかるけど、芸能マスコミ側もそれぐらいわかった上でやってるはず。そもそも芸能マスコミがああいうときに求めているのは相手の答えではない。ボクのインタビューの場合、相手には答えしか求めていないが、彼らが求めているのは相手の困った顔だったり、イライラした顔だったり、答えられなくて黙り込む顔だったり、そういう映像素材が欲しかったりする面もあるのである。的確な答えを引き出して視聴者を納得させるなんて、そんなことは最初から目的としていないんだから、それを期待したらイラついても当然の話。

そして、そういう記者会見に出てくる側も芸能マスコミからギュウギュウに追い込まれてボロボロになる姿を見せることで、「これ以上責めたら可哀想!」「芸能マスコミひどい!」って視聴者に思ってもらえたらしめたものだし、それが終わって初めて禊が終わったような状態になる。渡部建も、落ち着いてちゃんと自分の意見が言える場として雑誌のインタビューを選んだのに、それでは禊が終わってないと判断されたから、これだけ問題が長引いたわけで。いまは禊が終わらないとテレビ的な芸能界復帰は難しい時代になったから、お互いの利害が一致している以上、この構造がいまさら変わるわけもないのだ。

ボクの仕事は、そうやって芸能マスコミから叩かれてもちゃんと復帰できず、発言の場がなさそうな人の話をじっくり聞き出すようなものなんだと思う。それまで芸能マスコミどころか世間からも何を言っても否定されてきたような人が、初めてマスコミの人間に肯定され、しかもその発言がかなりの文字数を使って誌面に載る。そして、その内容をラジオやネット番組などで言い触らされたりもする。ボクのインタビューを警戒する人もいるけど、すごい喜んでくれる人が多いのは、それが理由なんじゃないか、と。

愛人とラブホテルで不倫中に麻取に踏み込まれ、大麻&覚醒剤所持で逮捕され、離婚へと至った高知東生をボクが取材したとき、特にそれを実感させられた。取材場所となったのは現在、彼を支援している公益社団法人ギャンブル依存症問題を考える会の事務所で、取材を終えると、ギャンブル依存症問題を考える会代表の旦那さんだという人が「すいません、吉田さん。一緒に写真撮っていいですか？『豪さんのポッド』の頃からのファンなんです！」と大喜び。田中紀子代表のプロフィールに「祖父、父、夫がギャンブル依存症者という三代目ギャンブラーの妻であり、自身もギャンブル依存症と買い物依存症から回復した経験を持つ」とあるから、これがそのギャンブル依存症の旦那さんなのか……と思いながら撮影を終えると、田中紀子代表はこう言った。「高知さんと私がつながったとき、合言葉にしていたのが『このまま回復していって、いつか吉田豪さんにインタビューされることを目標に頑張ろう』ってことだったんです」と。ボクの仕事が社会貢献に役立つこともあるんだ！　それをボクも頑張ります！

聞き出す力——其の二十五

インタビューで本当のことを話すとは限らない。発言の裏にある真実を見逃さないことを心がけよ！

アイドルの熱愛発覚や、それが原因でグループを解雇されたりする度に思い出すことがある。いまから一〇年ほど前、平野綾が『グータンヌーボ』で恋愛について語っただけで大炎上して、「〝非処女確定〟平野綾が恋愛トークに踏み切ったワケ……ファン号泣、殺害予告まで!!」なんてタイトルでネットニュースになったときの杉作J太郎の発言だ。

「ショックで彼女のCDを割るなど騒いだファンがいましたが、無駄なことです。本人のカミングアウトなら認めざるを得ない？　否、それがもっとも怪しい！　童貞のヤツに限って、聞いてもいないのに、『クンニで何人もの女性をイカせた』とか言い出す。自ら明かす恋愛話など、八割が嘘だと僕は思っています。しかも、TVで放送されるものに作為が入らないわけがない。平野さんの発言についても、僕は『背伸びをしちゃって』と思い、逆に彼女への処女妄想が膨らみました」

そう。誰もがインタビューで本当のことを話すわけじゃない。大人の事情があって言えないこともあるし、プライドが邪魔して認められないこともある。なので、平野綾の恋愛トークも「処女が無理して非処女ぶっているだけ」と片付ける杉作さんはさすがだった。

「マスコミの言うことを何でも額面通り受け止めちゃだめ。平野綾は処女であることが恥ずかしくてウソをついてるかもしれないじゃないですか。北乃きいも処女かもしれない。RIKACOみたいなのこそ処女ですよ！」

何が本当のことなのかなんて当事者じゃないとわからないんだから、こう考えたほうが精神衛生上いいに決まってる。アイドルや声優の熱愛発覚や、もっと言えば結婚だってファンの心持ち次第でいくらでも乗り越えられるはずなのだ。それは当時、杉作さんが宮﨑あおいという既婚者に惚れ込んでいたことからも、わかってもらえるはずなのである。

全国を車で移動するときは常にビデオデッキとテレビ（もちろん携帯用じゃなくて巨大なやつ）持参で、スーパー銭湯とかでも平気で『篤姫』（二〇〇八年）のビデオを見て「可愛い！」とか叫んでたら、同行した仲間に「うるさい！」と本気で怒られたりとか、人妻にここまで熱くなれるのは本当にすごい。加護亜依の応援活動で鍛えられた部分もあるのかもしれないが、どうせなら大好きだったはずの子を「裏切られた！」とか言ってネットで攻撃したりするよりも、結婚ぐらい余裕で受け入れて祝福できるファンでありたいものなのだ。

「いや、結婚とか離婚とかね、そういう次元の話ではないんですよ。だって、どのみち会ったことないんだから（笑）」「どうせ会えるいわれもないし、予定もないもんね」

会えない相手が結婚していようが独身だろうが、こっちには何の関係もない、と。でも杉作さんみたいな立場だと取材で会う可能性もあるんじゃないかと思うんだが、「取材で会うのは、会っていないようなもんですよ。あれは動作を確認しにいくようなものでね」「距離あるなあ、って。そこで乳揉んだら何もかも終わりですからね」とのこと。むしろ、取材で会っても相手との距離の遠さを実感するだけなので、それなら最初から会わないほうがいいぐらいだってことみたいなのである。

そして、宮﨑あおいが結婚してもアイドル性みたいなものをキープし続けたことについては、「それはまあ、女性が成熟してきたんでしょう。昔から、奥さんもらっても全然変わらない男っていたわけですからね。女子もついにそこに来たんですよ。今までは、結婚すると女子だけがスキルダウンするようになっていたんですけど、それがもう時代に合わなくなっているんじゃないですか」と発言。

これぐらいの懐の深さで、大好きな相手の熱愛スキャンダルなり結婚なりを乗り越えてほしい……と思ったら、そんな宮崎あおいの不倫報道で杉作さんがあっさりファンを辞めちゃったから世の中わからないものなのだ。

聞き出す力——其の二十六

予定調和にならず、相手が気を抜けばいつでも攻める緊張感を漂わせるべし！

ブル中野 YouTube チャンネルのゲストとして、なぜかこのボクが呼ばれたから正直驚いた。なにしろ、いままでのゲストはジャガー横田に蝶野正洋とレジェンド級のプロレスラーのみ！ YouTube チャンネル開局前にブルさんが他人のチャンネルにゲスト出演したのも風間ルミにデーブ大久保と、大枠でいえばアスリートのみ。ボクみたいな生粋の帰宅部の人間が出てもいい世界じゃないのである。このチョイスは意味がわからないよ！

でもまあ、おそらく『紙のプロレス』という専門誌出身で『吉田豪の〝最狂〟全女伝説』というインタビュー集も出している人間として、全日本女子プロレスという団体の特殊さやブルさんの素晴らしさを語ってブルさんを輝かせればいいんだろうなと思ったら、なぜか主役はボク！　なんと、あのブル中野がボクにインタビューのやり方を学ぶという企画だったのである！　すさまじくやりづらい！

しかも、ボクの持論はプロレスラー相手には非常に語りにくいんだが、腹を括って説明することにした。前にこの連載でも語ったように、ボクにとってインタビューとはプロレスみたいなもので、大袈裟なぐらい受け身を取ってちゃんと技を受け、相手のいいところを引き出した上で、いい試合に着地させるのが目的だから、たまに相手を容赦なく潰す格闘技を求められたりもするけど、ボクの仕事はそっちじゃない。ただし、単なる予定調和にする気もなくて、相手が気を抜いたらいつでもやっちゃうよという緊張感は漂わせるというUWFインターナショナル的なルールなんです……とか、そんな話をしていたら、わかりやすくブルさんの表情が変わってきたのだ。

「うわ！　わかります！　そういうことだったんですね！　私、プロレスという燃えられるものを失って以来、何をやってもあの頃ほどは熱くなれなくて。YouTubeでゲストをインタビューするのもどうやればいいのかと思ってたんですけど……そうか、これは試合だったんですね！　それならわかる！」

レジェンドプロレスラー相手にプロレスを説明するのは失礼だし無意味すぎると思ったら、むしろすごいわかりやすかったっぽい！　「本当に目からウロコでした。試合、頑張ります！」って連絡もきたりで、これからのブルさんの「試合」が楽しみになってきたのである。

そして収録後には、「デーブ大久保さんとのYouTube、ヤバかったですね」という雑談を振ってみた。デーブは「YouTubeでプロレスを見るのが好きで、藤原組長がまだ現役でやってるじゃないですか。女子と組んで相手もペアでやってて、あれどうやったって勝てるわけじゃないですか。もちろんショービジネスで、エンターテインメントで言うと、ああいう段取りはあるんですか？　なんか、こう戦おうとか」と、いきなりデリケートすぎる話題をブルさん相手に仕掛けていたのである！

そこで「いまの男子と女子がミックスでどうやって戦おうかっていうのは全くわからないです。私の時代はそれがほとんどなかったんで」とブルさんが冷静に返すと、「ないんですか、やっぱり。前田（日明）さんが言ってました。結果だけは決めてるらしいです。今日はこれな（サムアップ）とか、その間はもう全部アドリブなんだって。ないんですか、女子は」と、さらにデリケートゾーンに土足で踏み込むデーブ！　「女子の場合はというか私の時代はないですね。ピストルって言って、道場でやってるガチの結果がそうですね。その人を会社が上げるとか、こいつがこれからやっていくから頼むなみたいなことはあるけど、勝敗っていうのはないですね。だから本当にもうビューティ・ペアさんも……」と、ビューティ・ペアの二人による武道館の敗者引退マッチもガチだったことを話そうとした瞬間、「いましたね、全然ビューティじゃないですけどね！」と、話を中断させて失礼な方向に話を転がすデーブ最強。

質問事項を伝えるインタビューほどつまらないものはない。予定調和を崩すにはトラップ的作戦が必要なのだ！

最近読んだ『ばばこういち interview 10 華麗なる仮面の人々』（社会思想社、一九七一年）という本の『放送インタビュー論』が面白かった。ばばこういちは二〇一〇年に七七歳で亡くなったジャーナリストで、一九七七年に中山千夏らと革新自由連合を結成して出馬したり、「マスコミ九条の会」の呼びかけ人になったりした、わかりやすく反体制側の人なんだが、もともと文化放送やフジテレビにいた経歴のせいか番組内でのインタビューにずっとモヤモヤを抱えていたようなのである。

「それにしても、これまでの放送番組の中のインタビューは、何と空虚な、何となれあいのものが多かったのだろう。事前に構成が決っていて、インタビュアーは、ゲストの答える内容を先刻ご承知。それをまるで初めてのような顔で、番組は進行してゆく。何もかもお膳立てされたメニュー通りに、視聴者たちは見せられる。そこには、何のハプニングも、意外性も見出せない。ゲストが笑い、泣くことでさえ、予定通りだ」

雑誌のインタビューでも事前に質問を教えてくれと言われることがあって、ボクは毎回無視して担当編集が適当なものを送って誤魔化しているんだが、テレビの世界だと当時かららこれぐらい予定調和だったらしいのだ。

そんな「従来の、なあなあ主義を見ていて、腹が立った」彼は、「生放送を原則とする。録音の場合でも、編集なし」「ゲストに質問内容は知らせない」「放送前にインタビューアーもディレクターもゲストと打合わせしない。ディレクターは、番組の趣旨だけを説明する」「インタビューアーとゲストは対話しない。つまりゲストが逆にインタビューアーに質問をしたり語りかけたりしても、一切返事をしないで、次の質問に移る」「インタビューアーの語調は、できるかぎり感情をまじえないクールなものにする」「インタビューは一定のリズムで行い、そのテンポにゲストをのせてしまう」というルールのインタビュー企画をスタート。それを一冊にまとめたのがこの本なのだ。

これがどれだけ画期的なインタビューなのかというと、「コーヒーが好きですか、紅茶が好きですか」「ご飯が好きですか、パンが好きですか、肉が好きですか、さかなが好きですか」「色は何色が好きですか」「雨と雪とはどちらが好きですか」といった死ぬほどどうでもいいことを矢継ぎ早に聞き、その直後に「支持政党はどこですか」とか「天皇は好きですか」と聞き、思わず答えさせる卑怯なシステム！　もはや一〇回クイズだよ、それ！

「これが速射砲のように相手にぶつけられていく時、たいていの有名人は、質問に対する答を整理する間もなく、素顔を見せてしまう」「質問構成は、相手に考えるスキを与えないほど論理的つながりがない方がむしろよい」「事前に担当ディレクターからゲストに何度もくり返し、『答えられない事はノーコメントで結構である』と断ってある。それでも、発言されてしまったことについてはご本人自身が責任を負うべきものであろう」

これはインタビューではなく、ただのトラップじゃないかと思うんだが、「次の事柄から何を連想しますか？　まず、梅干し」「梅干し、おふくろっていうか、おばあちゃんだな」「マリファナ」「マリファナ、いいもんだという……」と、あっさりトラップに引っかかる日野皓正に爆笑。そして、黛ジュンの『天使の誘惑』で一九六八年のレコード大賞を受賞したなかにし礼を、「レコード大賞はレコード会社同士のなれあいと巨大プロダクションの圧力があってインチキだと批判する人がいるんですけれども、それについてあなたはどう思いますか」「世の中全部インチキですからね。べつに何とも感じないな」「レコード大賞に大金が動くという説をどう思いますか」「動くんでしょうね。僕は一銭も使ってないから……。動くんじゃないですか、話によると」と詰めていくのも凶悪すぎなのである。

聞き出す力——其の二十八

他人ときちんと向き合うことは、自らも消耗すること。インタビュアーには、この気概が大事なのだ!

水野しずという人がいる。ミスiD2015のグランプリを取ってたりもするけれど、何者なのかと聞かれたら水野しずだとしか答えられないんだが、そんな彼女は全てに対していつでもマジレスを返していく。正直もうちょっと他人に期待しないとか諦めたりしないと精神的にしんどくなるはずなのに、彼女は渋谷駅前で美容師に声を掛けられたときも、ここまで本気で対応するわけなのである。

まず彼女は「端的に無視すればいいんですけど、〃自分に断る理由があるかどうか〃ってことを一旦考えてしまうので……」とりあえず話を聞こうとしたものの、いきなり写真を勝手に撮られたことが許せなくなり、「ちょっと伝えたいことがあるんですけど、この場で話すにはちょっと長いので」と、以下のような長文のＬＩＮＥを送り付けたのだという。

「プライバシーに関わる画像を要求した後で、返答を無視するだなんて、多くの人間に声をかけて麻痺しているのかもしれませんが、あなた方は他者をずさんに扱っている。美容師のこういった性質には心当たりがあります」「このようなことが起こると、街頭にいるあなた方を、仕方なしに害虫のように感じてしまいます。あなた方はもう少し鈍感になるのをやめたほうがいい。他者を人間ではなく、ストックされた物体のように感じることを」

本気すぎる！　なので、軽い気持ちで彼女をインタビューしようとすると、当然のようにその本気ぶりの差ゆえ事故にもなるのだ。これは『帰ってきた 聞き出す力』でも取り上げたエピソードなんだが、大好きなので再度紹介してみたい。

名刺に「裏の顔・小説家」と書いている、ピーター・メロスを名乗る男がネットの記事で何度も聞かれているようなことを聞いてきたり、苦し紛れの質問を連発したりしてきたとき、最初のうち彼女は「それあらゆる取材で必ず訊かれる質問なんですけど。なんとなくです」とか返していたが、「今日は何が訊きたいなと思ったんですか。何を取材したいなと思ったんですか」と突然ガチ説教がスタートする。

ピーター・メロスは「（どうしよう本当に具合悪くなってきたし目眩がする。一旦外の空気吸わないと吐きそう）すみません。お手洗いお借りしても良いですか」とインタビュー中にエスケープ。コンビニに行きレッドブルを飲んで気持ちを落ち着かせるが、そのとき取材場所に残していたICレコーダーには「コミュニケーションが取れない。ツライ」という水野しずの声が録音されていたのだという。それでも彼女は自分なりにコミュニケーションできないか頑張ってみていたわけなのだ。

「あのーイガワさん（ピーター・メロスの本名）はライターの仕事ってわりと不本意だと思いながらやってんですか。結構色んな経験が出来て楽しいと思いながらやってますか」

「すごい無責任ですよね。これ俺の本職じゃねーしみたいな。そうじゃないですか。あ。たぶん無意識だとは思うんですけど。そういうつもりはないんでしょうね。小説書いてるんですよね。小説書いてる時とインタビューの仕事してる時で絶対、意識違うと思いますよギアが。言われてみればそうでしょ？　本当に仕事でやっててお金貰ってるんだとしたらね。インタビューの仕事でも自分の小説ぐらいギア入れるのが当たり前なんですよ」

「本当、取材始まった瞬間からこれ本職じゃないんだけどみたいなムードは死ぬほど出てますよ。そういう意味だと裏の顔じゃないんですよね、小説家が。丸出しすぎてちょっと失礼ですけどね。そんな態度で取材来られてもね、見抜くじゃないですか、こっちは。見抜きたくないけど。『俺ほんとは筆一本で食べてくような人間なんだけどな』って分かっちゃうんですよこっちは。説教になっちゃいました。ほんとごめんなさい。あー自分の性格の悪さに絶望しそう、本当にやだ」

いや、性格は全然悪くなくて、むしろ誠実なぐらい！　他人とちゃんと向き合うとしたら消耗するだけなのに、それを諦めることなく彼女はマジレスを続けていくのであった。

聞き出す力――其の二十九

相手が話に乗り気でない場合、思いっきり雑談に興じ、その空気感をありのままに伝えるのもまた良し！

現在、デビュー五〇周年を記念した原画展が三鷹市美術ギャラリーで開催中の諸星大二郎先生。あのあまりにもワン&オンリーすぎる作風ゆえコアなファンは多くて、もちろんボクも大好きなんだが、諸星先生本人のキャラクターはあまり知られていないと思う。二〇一八年一二月発売の『BUBKA』で初めて取材することができた諸星先生は思いっきり肩透かしを喰らうような脱力したキャラクターで、それはそれで面白かったから、その空気感をそのまま記事にさせていただいた。要は、こんな感じだ。

――本は全部読んできてずっとお会いしたかったんですけど、まさかインタビューを受けてもらえると思わなかったので驚きました。

諸星 あぁ……そうですか……。今回もインタビュー受けなくてもよかったかな（笑）。

――インタビューはお好きなんですか？

諸星 いや大嫌い（あっさりと）。

――だからあまり受けないんですね。

諸星 うん、なんかね。なんとなくグズグズと「じゃあまたいつか」って感じでやってると、気がついたら受けることになっちゃう。

――ホントに申し訳ないです！　なので、夢が叶ってうれしい気持ちと、インタビューが成立するか不安な気持ちが同時にあって。

諸星 まず成立しないから（あっさりと）。

――あ、しないんですか（笑）。

諸星 いつもそう言ってますけど……。

――そもそも話すのが苦手なんですか？

諸星　うん、対談のときは「しゃべりませんよ」って言ってオファーを受けるし、インタビューも「面倒なことは答えません」って言ってるんで、どうなるかわかりませんが。

――面倒なことっていうのは具体的には？

諸星　「あなたの作品のナントカはどうやって作るのか」とか「作品のポリシーはどうだ」とか、そういう面倒くさい質問（笑）。

――どういう質問なら答えやすいですか？

諸星　なんですかね、朝は何食べたかとか。

どうですか、この正直すぎる脱力したやり取り！　どうしても諸星先生のインタビューは作品を掘り下げるようなものが多いから、ご本人としてはこれまでずっと全く気乗りしないままやってたってことみたいで。それならとばかりに、その気乗りしない感じを全開にして、とことんまで雑談をしてみたのだ。

その結果、音楽は「あんまり聴いてなかったけど、ロックなんかも最近は聴くようになって」「キング・クリムゾンからレッド・ツェッペリンとか」が好きという知られざる情報や、漫画家関係のパーティーは「行かなかった。行っても知り合いいないから、ぜんぜんおもしろくない（笑）」なんて情報を聞き出すことに成功。

ただ、意外だったのは自分の作品がどれだけの人に影響を与えてきたのかに、これっぽっちも自覚がないこと。「影響なんか本当に与えたのかどうか……」と何度も言い続け、一九八六年のムック『諸星大二郎 西遊妖猿伝の世界』（双葉社）で宮崎駿が影響を受けたと自ら語っていたことにしても、「うーん……そうなのかな。宮崎さんの作品は観てるけど、そこはよくわからない」の一言。「少なくともこういう仕事してるような人間で諸星先生のことを嫌いな人間なんてぜんぜんいないんですよ」「単行本をほぼ持ってるような人しかボクの周りにはいないです」とかボクがいくら言ってもピンとこないようで、「いや、そんな人気があったらもっと単行本が売れてるはずなのに、ぜんぜん売れてる気配がないんだけど。おかしいなあ……」「重版したとかあんまり聞かないし」とボヤき続け、「何回も新装版で出し直されてるっていうのは絶対に根強い人気があるわけで」とフォローしても、「ああ、同じ漫画で何回も金稼いでね、なんだか詐欺みたいだな」と言い出し、そのうち話し疲れたらそこであっさりとインタビューを終えるから本物なのであった。

聞き出す力──其の三十

インタビュー相手がどんな相手だとしても、二時間じっくり話を聞けば誤解は解けるものなのだ！

ボクがやっているSHOWROOM『豪の部屋』のテーマは「二時間じっくり話を聞けば誤解は解ける」というものなんだが、これはボクのインタビューのテーマでもあって、そういう意味で石川優実さんはジャストすぎる取材相手だった。元グラビアアイドルで、最近はハイヒールやパンプスを強制される社会に対抗する #KuToo 運動で知られるフェミニストの彼女は、Twitter だといつも怒ってそうなイメージなんだが、毎日とんでもない数のクソリプが飛んできているから、そりゃあピリピリしたってしょうがないとは思う。

当たり前の話だが、こっちがフレンドリーに接したらフレンドリーに返してくれる人なので、インタビューはとにかく平和に進んでいった。フェミニズムの話ではなく、グラドル時代の話を掘り下げられるのも新鮮だったみたいだし、もともと二〇一七年に彼女がnoteで芸能界のセクハラ事情を告発したとき、それをボクが早い段階で拡散したことに感謝してくれていて、すっかり意気投合できたのだ。

彼女はグラビアアイドルというかお菓子系と呼ばれる雑誌の世界では成功者のはずなんだが、望んで水着になったわけでもなく洗脳に近い感じで自己肯定感を削られながらやらされていたし、「年間一位みたいなランキングを獲ったのに、もっと脱がなきゃいけないみたいな感じにされてたから。脱ぐのって仕事がない人がされていく道っていう感じだったので」「なので自分のなかで成功っていう意識はまったくなかったですね」とのこと。

ギャラについても、「『クリーム』とかのときはホントもらってないですね。ゼロではないですけど、一日一万みたいな感じで。DVDを初めて出したときが二日間の撮影だったから二万とか」「悪徳マネージャーから離れて、フリーになってDVDをずっと出し続けるんですけど、その頃やっと一本二〇万とかもらって」というパソナ級の中抜きをされてたらしいのだ。一時、彼女が本名で活動していたのも、その悪徳マネージャーに「芸名を使うな」と脅されていたためだった、と。

そんな経験をしてきた人だし、世間的にはフェミニストというとグラビアやAVや風俗を絶滅させたがる人たちだと思われがちなんだが、彼女はボク同様、やりたい人はやればいいし、無理やりやらせたりする悪質な業者は潰されればいいという考え方だったのだ。

「AVにしても風俗にしても、買うことの是非ってまだわからなくて。強要とか、当時の私みたいにやらなきゃいけないって思い込まされちゃうことをなくしてみて、初めてそういう性的なサービスをすることとかAVがいいのか悪いのかっていうところにやっといけると思うんですけど、いまの状態でそれを話してもわからないことがたくさんあるから」

すごい冷静かつ真っ当な意見！

「グラビアの仕事をしてたときに、なんでエロいこととしてるのにセックスの話をしちゃダメなのかなと思っていて。水着になってもいいけど、もうちょっと女性が性について話しやすい社会を作りたいと思ったんですね」「変じゃないですか。こっちだって性的なものとして出してるのに、なぜか処女性みたいなものを求められるのが気持ち悪くて」

彼女は基本、「●●なんだからこうあるべき」と押し付けられるのが苦手なのである。

彼女の代名詞とでも言うべき #KuToo にしても、何かを押し付けることなく、それぞれが好きな靴を履けばいいという主張だった。

そして、彼女はフェミニズムを知ることでいろいろ自由になれたけど、今度は一部のフェミニストから「フェミニストならこういうことしないで」とか言われるようになって困っているとのこと。いろんなフェミニストがいていいし、他人に何かを強制することなく、それぞれが他人に迷惑をかけない範囲で自由に生きればいいだけの話なのにな～。

もう一度インタビューを受けたい。そう思わせることができたら、それは成功なのだ！

浅草キッドの水道橋博士に「吉田豪のインタビューを受けて下さい」と直訴されても、「吉田豪のインタビュー本を読むのは好きだけど、吉田豪のインタビューは受けない」「彼は知りすぎた男だからダメ」と言い続けてきた徳光和夫。しかし、八〇歳を迎えて著書『徳光流行き当たりばったり』（文藝春秋、二〇二一年）を出したりで考えが変わったのか、ようやく『週刊ポスト』（小学館）の企画でボクのインタビューを受けてくれることとなった。最初に徳光さんと遭遇して記念写真を撮ったのは梶原一騎十三回忌パーティー（一九九八年）のときだったので、二三年後に夢が叶った！

するると、小学館のミーティングルームで会った徳光さんはボクにケーキをプレゼントすると、鞄から「これ読みました！」と明らかに徳光さんとは無縁な『吉田豪の部屋の本Vol．1@猫舌SHOWROOM』（白夜書房、二〇二一年）を取り出して、この本をひたすら絶賛し続けたのである！

「あらためて吉田さんはすごいと思って。僕が吉田さんを知ったのは長男なんですよ。サントリーに勤めている長男が、抜群に面白い対談本があるって言ってて、読ませてもらって。僕たちアナウンサーはインタビュアーとしてある意味でプロの世界なんだけども、こういう聞き方、こういう掘り下げ方、こういう引っ張り出し方はできないなと思って」って、光栄だけど今回の趣旨は徳光さんを掘り下げることだよ！

徳光　吉田さんがすごいところは、吉田さんのインタビューを受けた人はまた受けたいと思ってるんだよね、この本を見ているとね。これで初めて知った西井（万理那）さんとか、上坂（すみれ）さん、中島（愛）さんとの話なんかホントに面白かったし。（この後も吉田豪のエピソードを語り続ける）。

吉田　ボクの話はもういいいんですよ！

徳光　ホントに聞きたいんですよ！

吉田　徳光さんは一体何者なんだろうっていうことを知りたいんですよ、ボクは。

徳光　いや、僕はもう底が浅いよ。

そんなやり取りの後も、ボクが徳光さんを掘り下げると、なぜか徳光さんがボクを絶賛し始めるという謎の展開が繰り返されたのだ。

徳光　『吉田豪の部屋の本』っていう、このなかに出てくる人、僕は誰一人、知らなかったんですよ。あなたをすごいなと思ったのは、俺いま読むの遅いんだけど、一日半で全部読みました。でも、内容もわからないんだよ。ところが次のページ、次のページと面白くなってきて、アイドルでこんな子たちがいるのかと、こんな言葉を知っている子がいるのかとか、こういう常識、あるいは非常識を持っている女の子たちがいて、これだけアイドルの本音を見事に引き出している本はないなっていうふうに思ったんですよね（略）。ホントに見事なほどいまの女の子たちは勉強してるなっていうことを、特に声優の人たちはすごいですね。ただ単に声優をやってるんじゃないですね。声優をやりながら、いろんな興味を持ち、好奇心を持ち、それに自ら着手していってますよね。誰一人知ってる子もいないし、誰一人関心のある子もいないんだけど、最後まで読んじゃったね。

吉田　そっちを読んでると思わなかったですよ。最近だと敏いとうさんのインタビューは、徳光さんは引っかかるかなと思うんですけど。

徳光　ちょっとそれいつ出るの？

すると、徳光さんは「彼に競艇を教えたのは僕ですから」「競艇場に連れて行って、あんまりこういうのをやったことがないって言うから、そしたら入れ込んじゃって。俺、奥さんに恨まれてると思うんだけど、競艇をやっていなければ、それなりに（財産を）残せてたよ」「あんなに夢中になって、人から金を借りてやるまでだとは思わなかったんだよね」と言い出して、自身のとんでもないギャンブル話をたっぷりと語り始めたのであった。最高！

聞き出す力――其の三十二

聞いてはいけないこと、答えてはいけないことはあるが、それは時代とともに変化するのだ！

女子プロレスラーのバンビがTwitterで「プロレスは勝ち負けが決まっているものとして私に話をしてくる人たまにいる。やめて頂きたい。やめてって言ってるけど。それはどんなにお世話になってる人でも初めて会った人でも同じです。そういうのは同じ考えの人と話せば良いのでは。何言われても私は否定します」とつぶやいていたが、全くその通りである。事実はどうだとしても、現役プロレスラーにそんな話を聞いちゃ駄目だし、選手も答えるべきじゃない。しかし、時代とともに線引きは変わっていくもので、ここまで言っていいんだ！　と驚くことも多いのだ。

デビュー五〇周年記念本『藤波辰爾自伝』（イースト・プレス、二〇二一年）を読んでいたら、あの生真面目なドラゴンが意外といろいろデリケートな話をしていたから驚いた。たとえば日本プロレスに入門したとき、「私がまず教えられたのは、試合での動き方だった。プロレスの試合は、ゴングが鳴ると、誰もが、時計回りとは逆の左回りへ動く。そして、相手の腕は必ず左手を取って投げる」って、これは確実に昔なら言っちゃいけなかった部分だと思う。

さらには、これだ。

「猪木さんは馬場さんを超えようと、『闘い』を見せる理想のプロレスを若手に常に叩き込んでいた。例えば、リング上に手を置かせ、ゴングを鳴らす木槌で叩いた。突然、手を叩かれた若手選手は、『痛い!』と声を上げ、激痛で顔をゆがませる。その時猪木さんは『今、その顔が本当に痛い時の顔だ。その気持ちを絶対忘れるな』と指導し、技を受けた時の表情の重要性を説いた」

文字通り叩き込んでる! というか、やられた表情を作る「セール」と呼ばれる行為も昭和の時代なら絶対に触れちゃいけない部分だったはず。

一九七八年一〇月二〇日、チャボ・ゲレロとの試合中にドラゴンロケットを避けられてパイプ椅子に頭から突っ込み大流血したときの話も、プロレスのお約束的な部分をまず認めた上でこう書くからリアリティが違うのだ。

「凱旋シリーズでドラゴンロケットを初公開してから、どんな相手にもどの会場でも百発百中で当たっていた。実際レスラーは、試合中に目が合えば相手の反応が分かるもので、ドラゴンロケットで飛ぶ時も相手は、私の目を見て感じ取り、受けるしかない状態が続いていた。ただ、あれだけ成功すれば、ファンの中に、私が場外へ飛ぶ時に『どうせ、相手は受けてくれるんだろう』という先入観が生まれる。事実、凱旋してから半年以上を経たこの頃、技が決まっても、会場の反応は鈍くなっていた。そんな空気を自分自身で感じていた時にチャボが避けたのだ。しかも大流血というハプニングがあったことで、ファンに強烈な衝撃を与え、あの試合から、ファンは場外へ飛ぶ時に『避けられるんじゃないか』という緊張感を持って見るようになってくれた」

そんな感じでクソ真面目なドラゴンが、クソ真面目に自分の過去を振り返るこの本では、たまにキラードラゴンが顔を出してきて、そこが最高に面白い。たとえばライバルである木村健悟と一九八七年一月一四日、後楽園ホールでの伝説のワンマッチ興行を行ったことについて、ドラゴンはこう振り返るのだ。

「この健吾との抗争は、ハッキリ言って苦し紛れの企画だった。UWFとの対決も今一つ注目されず、人気外国人も招聘できない時期で何かないか？　と頭を悩ました挙句の果てのマッチメイクで、外国人を呼べば費用がかかるため、いわば経費削減の苦肉の策」

「私としては、成り行きの中で組まれたワンマッチに、観客を満足させようという思いはなかった。前代未聞の興行で、どんな試合になるのか見当も付かなかったし、自分の面子を守るため、いつもの試合をやるしかないと腹を括ってリングに上がった。そんな、ある部分で自暴自棄のような心境」

木村健悟が可哀想になってくるぐらい、この試合を冷たく斬り捨てていたのであった。

聞き出す力——其の三十三

インタビュー前の情報収集は、しすぎということはない。密度の濃い情報は素晴らしいインタビューを生むのだ！

最近、ボクが「この人のインタビュー能力はとんでもない」と感じたのは、『映画の奈落　北陸代理戦争事件』や『無冠の男　松方弘樹伝』といった昭和の男臭い本ばかり書いてきた伊藤彰彦氏の『最後の角川春樹』（毎日新聞出版、二〇二一年）における仕事っぷりだった。

まず彼は角川春樹が生まれた富山県の水橋に行って調査開始。角川の祖父、源三郎は米問屋『角川商店』を営んでいて、一九一八年の米騒動はこの町から起こったから被害も大きかったのではないかと角川に直撃すると、「それがまったくなかった。祖父は自分だけが豊かになるのではなくて、利益を地元に還元していたからです」とキッパリ返答。

実際、「米騒動の一部始終を見聞きしていた地元の古老への聞き書き、『水橋町（富山県）の米騒動』（二〇一〇年、井本三夫著、桂書房）を読むと、たしかに襲われた米穀商の中に角川商店の名前はない。その代わり『高松商店』といういちばん大きな米屋が襲撃されたとある」と伝えると、「そう。高松商店などのライバルがいなくなったおかげで、角川商店は大きく伸びた（笑）」と笑い飛ばしたりで、とにかく調査のレベルが異常なのだ。

さらには、こんなやり取りまで登場。

「森田（芳光）の才能にびっくりしたのはやはり『家族ゲーム』（八三年）でした。最終日に有楽町のスバル座で観て、都市生活者の明るさと虚ろさがサリンジャーの『フラニーとゾーイー』（六九年、鈴木武樹訳、角川文庫）みたいだなあ、と」

そんな角川の発言に「『フラニーとゾーイー』は、エゴとスノッブがはびこる周囲の状況に耐えきれず、病的なまでに鋭敏になっている妹で女子大生のフラニーと兄で俳優のゾーイーを巡る、ある土曜日の午前から月曜日までの物語。六九年に角川さんが初めて文庫化しました」との補足を加え、「『家族ゲーム』を観て、サリンジャーが描いたアメリカ東部の大学がある街の住人たちのことを思い出しましたね。それに、ラストの食卓の横移動には驚きました。私がそのあと『天と地と』（九〇年）の撮影を前田米造さんにお願いするのは、彼が『家族ゲーム』のキャメラマンだったからですよ」と角川が語ると、「前田キャメラマンは、角川さんのことを『森田芳光のお兄さん』と評したそうですね」と補足情報を加えて、「それは知らなかった」という発言を引き出すのだ！「唇のぶ厚い風貌が似ているというのも確かだが、自信満々の物腰の割りには意外と照れ屋で、子供っぽい悪戯心に満ちているところなどどこか二人は似通っている』と、『復活の日』『家族ゲーム』のプロデューサーである岡田裕さんも書いています（『映画　創造のビジネス』九一年、ちくまライブラリー）」「そうか（笑）」って、どんな情報密度のやり取りだよ、これ！

あまり評価されることがない編集者・角川春樹の功績をちゃんと掘り下げたり、みんな大好きなバイオレント話（松田優作を「ホテルの私の部屋に呼びつけて殴ろうと思いました。優作はそのころ極真空手の黒帯を取ってたけれど、私はパレスチナで兵士相手に素手で殴り合って打ち勝つなど、殺し合いの場数を踏んできましたから」とか）もちゃんと掘り下げたり、スピリチュアル話はほとんどスルーしたりで、かなりバランスのいい本にはなっているんだが、果たしてこれはどこまで取材現場でのやり取りが再現されているのだろうか？　あとがきによると、「当時の資料のコピーと私の質問内容をあらかじめお渡しし、答えていただく形で取材を進めた」とのことで、もちろん取材後の加筆もあるだろうけど、「よくぞ聞いてくれました」「それは知らなかった」みたいな反応は、その場での発言がなければ出てこないものだろうし。

そんなことを思いながら両氏が出演するこの本の発売記念イベントを配信で見たら、伊藤氏が角川発言にほぼ相槌しか打っていなかったので、さらに謎が深まったのであった。

聞き出す力――其の三十四

相手のことを調べないインタビューも、読み手がライト層ならありっちゃあり、なのだ！

ヒッチコック作品に『知りすぎていた男』なんてのもあったが、「本人よりもその人に詳しい」というキャッチフレーズを一〇年以上前に付けられた人間からすると、相手のことをとことん調べて知りすぎていることが果たして正解なのかどうかと思うことがある。

この連載では、相手のことをあえて調べないほうが新鮮に話が聞けるというロジックが、話を聞かれる側にしてみれば、逆に何度も質問されてきたことで新鮮さゼロだったりすることも多いし、下手したら的確に地雷を踏み抜く可能性もあるってことを、吉田照美という実例（彼が下調べもなく天本英世をインタビューしたら激怒された話）を出した上で過去に説明してきた。

ただし、何度も取材している相手よりも初対面の相手のほうがインタビューは新鮮で楽しいし、じっくり最初から掘り下げた深い話ができるのは事実だから、相手が「またその話かよ!」「それはもう聞くな!」とか思わない場合であれば、意外と「何も調べず相手のことをろくに知らないまま全部聞くインタビュー」も有りなのかもしれないとだんだん思えてきたのだ。

具体例を挙げてみよう。YouTube に街録ｃｈという現時点で登録者数五三万人(この単行本出版時には一三五万人)の人気チャンネルがあって、基本的には街の一般人(アウトロー多数)から全く一般的ではないエグい話を聞き出し、エグいサムネイルを作ってアップするというものなんだが、東野幸治出演をきっかけに突然メジャー化。いろんな芸能人も含めて人生を語る人気チャンネルになったのに、この聞き手の三谷三四郎という人は相手のことをほとんど調べないのだ。それはおそらく、何の情報もない一般人を取材することで始まった企画だからだろうけど、それなりに知名度がある人でもろくに調べないからちょっとすごい。もちろん、そのことで「ファンなら知ってる程度のことをいまさら聞くな!」と怒る人はいるだろうけど、それよりももっと膨大な数の、何も知らない人たちにとっては有益な、じっくり掘り下げた話がそれなりに長い尺でちゃんとできるから、それでもいいんじゃないかと思うわけである。

東野さん効果でチャンネル登録者数が増えてからは、自分から街録chに出たがる有名人も増えてきたらしいので、そういう人たちは「またその話か!」と思うわけもないし、何度も聞かれたことも含めてじっくり話そうって覚悟で出演するはず（小向美奈子とかの例外は除く）。ボクなんかは、つい「相手が聞かれすぎて飽きている話は本人もファンも嫌だろうから避けるべき」と考えちゃって、それがプラスになることもあるけれど、どうしてもマニアックな内容になって広く開かれたものにはなりにくい。それが、雑誌や単行本やイベントや配信に課金するコアな人に向けてビジネスをやっているボクと、基本無課金でYouTubeを楽しんでいるライトな広い層に向けてビジネスをしている人との違いであり、要はどっちも正解なんだと思うのだ。

最近、元バイトAKB・梅澤愛優香のラーメン屋の産地偽装や、裏に何度も逮捕歴があるやばい元アイドル運営がついてることとかを告発した元店員の七詞睡眠というミスiDの女の子を街録chに送り込み、その後でボクもその子を取材したときに痛感したんだが、やっぱり過去にいろいろ話を聞いてたり、本人が「ラーメンの話ばかり聞かれすぎて、私はもっと自分自身の話を聞いて欲しい」と思っているのを知ってたりすると、どうしてもゲストに寄り添った内容になりがち。その結果、街録ｃｈは「ラーメンの話がメインで、彼氏に都合のいい女として使われて風俗で貢いでいたみたいな編集のされ方になった」と彼女は言っていたけれど、ボクは彼氏の話も風俗もほとんど触れず、ラーメンの話もそんなに深くはしなかった。でも、世間が求めるのは話題になったラーメン屋の話であり、サムネイルにしたときパンチのあるエグい話なのだ。

それでいて、最後は三谷さんが彼女に大金（夢だったというＮＳＣの入学金）を貸すことでいい話に着地させていたから、今回は街録ｃｈに敗北したと思った次第なのである。

聞き出す力――其の三十五

インタビュアーにとっては喋りたいことしか喋らないタイプが一番厄介なのだ！

若くてイケメンな政治家が神妙な表情で喋っているからちゃんとしてそうに見えてたけど、冷静になって聞いてみると「今のままではいけないと思います。だからこそ、日本は今のままではいけないと思っている」って感じで、発言の中身が限りなくゼロに近かったことがバレた小泉進次郎。いまではすっかり面白ネタ扱いされているんだが、実は父・小泉純一郎のほうがインタビュー時の受け答えがやばかったことはあまり知られていない。

いや、息子と違ってお父さんはちゃんと喋ってたよ！　という印象を持つ人も多いとは思う。世間的には「痛みに耐えてよく頑張った！　感動した！」といったキレのいいフレーズを連発することで有名だったからだ。

しかし、政治史学者・御厨貴の著書『知の格闘　掟破りの政治学講義』（ちくま新書、二〇一四年）には、こんなエピソードが登場する。政治家や官僚のオーラルヒストリー（関係者から直接話を聞き取り、記録としてまとめる活動のこと）収集をライフワークとしてる彼は、だからこそ世間の人は知らない小泉純一郎のこんな姿を目撃していたのである。

「政治家でいえば、『小泉純一郎さんをやりたいと思いませんか』といたるところで言われます。そういうとき私は『小泉さんは無理でしょう』という言い方をしています。彼に数回会った感じからすると、なかなかやりにくい人だと思います。理由は二つあります。一つは、彼はまず自分の関心のあることしかしゃべらない。これは徹底しております。こういう経験があります。『追悼・平和祈念のための記念碑等施設の在り方を考える懇談会』という長々しい名前の懇談会が終わったときに、委員の一人だった作家の上坂《かみさか》冬子さんがどうしても小泉さんに会って意見を言いたいと言い出しました。私たちは公邸に呼ばれてフレンチをご馳走になりました。しかし小泉さんは最後まで会議の話を聞こうともしないし、話題にしようともしない」

ここまではまだわかる。しかし、話を聞かない代わりに彼が一方的に話すことが、あまりにも想像の範疇を超えていたのであった。

「話題は、彼が見てきた今までのB級映画であるドラキュラ映画がいかにすばらしいかという話と、人肉食の話。その二つを本当にわざとのようにしゃべりまくる。上坂冬子はあっけにとられて、言葉を何も継ぐことができない。その場をとりなそうとして山崎正和先生がドラキュラ映画の文化史的意味みたいなことを言うと（笑）、『いやいや、そんなことは関係ねえんだよ、山崎さん。ただ単にドラキュラが若い女の首筋にグッと歯を立てるところ、あれが面白いから言っているだけでさ、文化とか何とか関係ねえよ』と言うのでした。それからしばらく何とかという女優が失神する姿が一番良くて……。要するにドラキュラ映画をこれだけたくさん見ているやつは日本にいないということでした。人肉の話について山崎さんがまた『カニバリズムの問題は……』とか言い始めると、『何とかリズムとかそんな話じゃない。人肉を食うってすげえよな』という話になる。こういうおじさんのオーラル・ヒストリーはたぶん無理です。おそらく自分の好きなことしか言わないし、こちらの解釈についてては全部妨げようとしますから、結局取ったオーラル・ヒストリーは何も使えないことになる。ですから、この人は無理だろうというのが第一です」

厄介すぎる！　でも、あまりにも厄介で逆に興味が出てきた！　おそらくブラム・ストーカーがどうとかベラ・ルゴシがどうとかクリストファー・リーがどうとか、そういう名前を出しても確実にスカされるだろうけど、この厄介なトークをそのまま引き出して限界まで受け身を取ってみたい気がするぐらい。

しかも、「しゃべりたいことしかしゃべらない人」なだけじゃなくて、「一時間の予定の講演を二十分で済ませてスタスタと壇を下りて行く」というエピソードも含めて厄介なインタビュアー殺しなのであった。

第2章

「書く・まとめる」極意

情報とは真実と虚構が混合したものである。細心の注意を払って精査し、バランスを取って書くべし！

ノンフィクション作家・田崎健太が、月亭可朝や松鶴家千とせ、毒蝮三太夫らを取材した本『全身芸人』（太田出版、二〇一八年）で、こんなことを書いていた。

「芸人をノンフィクション作品として描くのは非常に難しい。まず気儘で出鱈目な人間が多い。彼らは記録の類いを残すことは稀だ。また芸人の動向を詳しく報じる新聞は存在しない。客観的に足取りを追えないのだ。そして、彼らは身の回りで起こったことは、すべてネタにする。本当に起こったことよりも、客にウケることが大切だ。ネタとして昇華する際、都合の悪い部分はそぎ落とされ、様々な肉付けがなされていく。それを繰り返し話しているうちに、自分でも本当に起こったことだと勘違いするようになり、何が本当なのか分からなくなる――」

これ、プロレスの世界でもほぼ同じことが言えるんじゃないかと思う。芸人と違って記録こそ残ってはいるけれど、その記録自体が加工された表向きの物語に沿ったものである可能性大だし、そもそもどこまでリアルでどこまでフェイクなのかがわからない世界。

田崎氏が書いてきた長州力や初代タイガーマスク・佐山サトルの本にも、プロレスラーや関係者の証言はちょっと信用できない的なことが書かれていて、だからこそ彼はちゃんと裏取りしたりで立体的にしているわけなのだ。

「彼らもサービス精神の持ち主だから、こちらを楽しませようとしてついているウソについては、エンターテインメントとして受け止めます。ただ、書きたいことやストーリーの根幹にかかわるようなら、事実関係を調べて質しますよね。ウソには二種類あります。ひとつは本当のウソ、そしてもうひとつは、真実だと思い込んでいるウソ。厄介なのは後者です。一方から聞いていると真実のように映るけれど、周辺取材をすると違う風景が見えてくることがある。そこは原稿を書く際にも、細心の注意を払います」（田崎健太）

さて、今回のテーマはそんな田崎氏の『真説・佐山サトル タイガーマスクと呼ばれた男』（集英社インターナショナル、二〇一八年）や、『証言１・４ 橋本vs.小川 20年目の真実』（宝島社、二〇一八年）の田崎氏の寄稿部分でも書かれていた、以下のエピソードだ。「佐山が猪木に『殺すぞ』とフォークを突き立てたという話が流布している。そして、猪木は『佐山はミネラルが不足して怒りっぽくなっている』と笑い飛ばしたというのだ。その真偽を佐山に問うと『（噂は）怖いですねぇ、猪木さんにそんなことできるわけないじゃないですか』と大袈裟に肩をすくめた」

一九九九年三月一四日、ＵＦＯ横浜アリーナ大会の試合後の打ち上げパーティーでアントニオ猪木と佐山サトルの間で起きたこのトラブルについて、おそらく世の中に拡散させたのはボクじゃないかと思う。

ＵＦＯの関係者からこの情報を聞き、当時よく取材していた佐山本人に確認すると、いつもの調子で明るく、

「フォークを突き立てるなんて、そんなことするわけないですよー。ぼくが使ったのはフォークじゃなくてナイフでーす！　うふふふ」

的なことを言われて、その直後に雑誌『BRUTUS』で猪木の取材時に、この件について突っ込んだら、

「この前、UFOの打ち上げで佐山が突然キレたんですけど、あれはミネラル不足！　佐山は甘い物ばかり食べてますから」

的なことを言われたという、そんな流れの出来事だったわけなのである。

田崎氏はプロレスラーの発言は信用できないと言いつつ、どうも佐山の発言だけは無条件に信じちゃっているように見えるんだが、『証言1・4橋本vs.小川 20年目の真実』収録の元猪木事務所・UFOスタッフX氏のインタビューにも、

「佐山さんが猪木さんに『オラーッ！』ってフォークを持ちながらすごんだっていうのは、噂でもなんでもなく、本当のことです。そのまま佐山さんは、怒って帰っちゃいましたから」

という証言が登場。これで、ようやくボクの発言がデマじゃないことが認められた気がしたのであった。意外と当事者を直撃して、ちゃんと裏を取ってたりするのになー。

聞き出す力──其の三十七

インタビューにトラブルはつきもの。現場の空気感を再現するほうが面白いものになるのだ！

世間的には大友克洋『ＡＫＩＲＡ』の題字で、漫画好きには『血だるま剣法』などの壮絶な時代劇画で知られ、『漫画ゴラク』でも『薩摩義士伝』を連載していた平田弘史先生が、二〇一九年二月発売の『週刊プレイボーイ』に登場。現在八二歳ながら、その号の題字も担当し、和装で日本刀を構える写真も決まってるし、麻酔なしで手術をしたなどの逸話を駆け足で紹介するインタビューも掲載されていたから、こんな元気そうならボクも取材したいと思ってすぐオファーして、静岡県伊東市のご自宅に伺った。「耳は遠いけれど受け答えはハッキリしている。何かあれば芳子夫人がサポートしてくれる」とのことでなんとかなるかと思ったら、奥さんにサポートされながら自分の席に座るだけでも一〇分以上かかるのを見て、これで取材が成立するのかと不安になった。そして、取材が始まった瞬間、『プレイボーイ』の記事はかなり読みやすく編集されているっぽいことがわかったのだ……。

今回のインタビューが載る『BUBKA』を渡すと「老眼！」と言い放ち、「細かい字が読めないから。ページを開くのも、いまは手が言うこと利かないから」「大きい字は書ける、これくらいの大きな紙に。小さい字は書けない。だからもう二年ぐらい絵が描けない。パーキンソン病らしいです。耳は三〇センチ以上離れたら聞こえない」「もう二年ほど前からこんな状態になっちゃった」と、実は思った以上の状況らしい告白が続いた。それでもボクのインタビューは現場の空気感をなるべく再現するのがモットーなので、やり取りをここまで再現してみた次第なのである。

平田　もっと元気なときに会いたかったね。

――お会いできただけでもうれしいです。

平田　何を言ってるかわからない。

――（大声で）お会いできただけでうれしいです！　世代的には『ヤンマガ』の『平田弘史のお父さん物語』から読んでるんですよ。

平田　ああ、あの頃は五三歳ぐらいで。よく描けてるよ、まだ手がシャカシャカ動いて。

――この漫画が始まったとき、『ヤンマガ』で不思議な漫画が始まったって驚きました。

平田　不思議な漫画？　それはそうだね。

――先生はどんな思いで描いてたんですか？

平田　…………。

妻　このときどう思ったんですか？　って。

平田　いま返事しようと思ってたのに！

妻　ごめんね、聞こえてないのかと思った。

平田　昔みたいにピリピリパリパリ頭が回らない。1テンポも2テンポも遅れてからしか頭のなかで何を語ればいいかわからない。

——当時の反響はいかがでした？

平田　環境？

——反響！

平田　浣腸？

妻　反響！

平田　感情？

妻　反響！

平田　なんの反響？

妻　連載した反響！

コミュニケーション・ブレイクダウン！　それでも深い話はしてくれたし、ここまで「地獄」という単語が連発されるインタビューもまず存在しないんじゃないかと思う。

平田先生は漫画を描くのがあまり好きじゃないと公言している。理由は「地獄だから」

「私が劇画を描くということは毎晩毎晩地獄のなかをさまよって脳みそのない頭を絞り出

して、それで作るから楽しみどころか任務との闘い」。しかし、漫画が描けなくなったいまのほうが苦しく、もどかしい思いをしているように見えて、「これからもそういう作品を描いていこうと思ったら、まだまだ死ねないね」と、またその地獄に足を踏み込もうとしている姿に本気でしびれたのであった。

聞き出す力――其の三十八

対談は互いが主役。対してインタビューは聞き手は影となり存在感を消さねばならないのだ！

キラーモードの彼女を初めてそのまま文章化したと評判だったボクの樹木希林インタビューが、二〇〇八年の『本人』（太田出版）掲載から一一年を経て、追悼ムック『いつも心に樹木希林』（キネマ旬報社、二〇一九年）に再掲載された。すると「久世光彦、市原悦子、吉永小百合など対談がいいが、吉田豪は力不足」的な感想を発見。そりゃあ同世代で交流もちゃんとあった人たちとの対談記事と、当時まだ三〇代の人間が初対面でやったインタビューを比べたら力不足に決まっているんだが、だからこそ力の足りない若造相手でも本気でかましてくる樹木希林の面白さが出せたと自分では思っている。そもそもお互いが主役の対談記事と、聞き手の存在感を消すのが基本のインタビューとでは似ているようで決定的に違うのだ。

でもまあ、確かにこの本の対談記事は面白かった。『オール讀物』（文藝春秋）二〇〇一年一月号に掲載された久世光彦との対談では、とんでもない事実も明らかになるのであった。

「私、一度だけ対談の編集をやったことがあって、それはそれはうまくいったんですよ。自分で言うんだから話半分なんですけどね」

「郷ひろみが松田聖子と別れた後、もう全然マスコミに出ようとしなくなっちゃったんですね。マネージャーが何かきっかけを作りたいというんで相談に乗ったんだけど、ひろみ君が、私が相手なら喋ってもいいということになって。『サンデー毎日』がこの件に関してはわりに中立的な立場をとっていたので、そこに声をかけて、実現したんです」

これはドラマ『ムー』や『ムー一族』で共演し、デュエット曲『お化けのロック』や『林檎殺人事件』をヒットさせた信頼関係があってこその企画だったはずなんだが……。

「ところがひろみ君がね、二人でレコードまで出すような仲だったのに、対談の場では全然態度が違うの。もう人を信じられなくなったという感じで、よそよそしい。白いスーツか何か着て、それこそどこか南の国の殿下みたいなんですよ（笑）。困っちゃってね。こっちの持込みだから責任があるでしょう。その日のうちに文字に起こしてもらって、それを夜中から私がまとめ始めたんですよ。この部分を使って、この質問にはこう答えて、それからこれはこっちにもっていってというふうにキリハリして、ぽつぽつ喋ったことを一応の形にして編集部に出したんです。もちろん聖子ちゃんも悪者にしないで」

つまり、わかりやすく盛り上がる会話にはならず、それでもいい記事になったらしい。

「そしたらね、一番最初に誰が反応したかというと、印刷所の人だった。郷ひろみってこんなに頭がよくて、カッコいい男だったのかって。これはうまくいくと思った。ところがねえ、編集部がつけたタイトルが『郷ひろみ、松田聖子とのことを赤裸々に語る』だっていうから、それじゃインパクトが弱い。『ちょっと待ってください。タイトルは別にしてください』って申し出たら、もう表紙に刷っちゃったから変えられないっていうのよ。で、『その分は私が費用を払いますから、刷り直して下さい』って頼み込んで、表紙を急遽替えてもらったんです」

これ、あっさり言ってるけど原稿料&対談のギャラで足りるわけがない。要は自分の持ち出しでかなりの金額を使って表紙を差し替えたわけなのである。

「白地にどーんと大きな赤い『!』マークがあって、その脇に〝独占インタビュー郷ひろみ〟『コケにされた男の正しいコケ方』」

調べてみるとこの表紙は本当に写真も何もない白地に赤一色で誌名の下にドーンと『!』マークが入り、このタイトルが書かれているという、ただそれだけのデザイン!

肝心の対談記事を読みたくてしょうがなくなるのに、郷ひろみサイドの再掲載の許可が取れなかったせいなのか何なのか謎が謎を呼ぶばかりなんだが、この記事が再録されてないことだけは残念でならないのだ。ああ哀しいね……。

聞き出す力――其の三十九

メモ書きもしない、録音もしないというスタイルは、ある意味憧れるが、おいそれと真似をしないほうがよい！

自分にとって最初のインタビューは何かと聞かれると、ある種のネタとして「中学二年生のとき、アニメ好きが高じて東映のアニメーターを取材したら労働争議の話ばかりされて、アニメーターになる夢を諦めた」エピソードを話しているんだが、あのときは別に録音もしていなかったので（そもそもそんな機材も持ってなかった）、本当ならインタビューにカウントすべきものではないはず。なので、正確には修羅というアングラ系音楽ミニコミで、にら子供というコミカルハードコアパンクバンドを取材したのが最初なんだと思う。

当時ボクは一八歳の高校生。16TONSなんかも出演した下北沢屋根裏でのライブ後、打ち上げに同行してインタビューしたらテレコが不調で録音できてなくて、もう一回同じことを話してもらったらそれも録音できてなくて、記憶だけで原稿を作り上げるという地獄のような経験をいきなりすることとなった（しかも、当時は手書き。あまりにも不便なので、すぐにフロッピードライブもない激安ワープロを購入。ただしモニターに文字も一行しか表示されなかったような代物）。その次の号ではジムノペディアというロックンロールバンドとかを取材して録音もちゃんとできたけれどミニコミの休刊でお蔵入りに。

その後、専門学校時代は教師や掃除のおばちゃんをインタビューして学校の暴露本を作ったりはしたけれどこれも別に録音していたわけじゃないので、編集プロダクションに入ってからがボクのちゃんとしたインタビュー歴ってことになるのだろう。『宇宙少女刑事ブルマ』の幸田磨衣子とか、元みるくの星野貴代子とか、渡辺美奈代とか、暴走族評論家の岩橋健一郎さんとか、カーツ佐藤とか、岡田有希子そっくりAV女優の高橋めぐみとか、獣神サンダーライガーとか、船木誠勝とか、小林よしのりとか、生稲晃子とか、花島優子とか、闘う在日韓国人シンガーソングライター川西杏とか、アントニオ猪木とか、林由美香とか、いまざっと思い出せる有名人はそんなところか。当時、師匠のリリー（・フランキー）さんが中嶋美智代をインタビューするのに編集として同行したこともあった。

彼女が所属する四谷三丁目のサンミュージックに行ったら一時間の取材の予定なのにリリーさんが遅刻して、しょうがないから代わりにボクが話を聞いていたら、残り一五分というところでリリーさん到着。すると、その後はひたすら「あなたは素晴らしい」と彼女を一方的に絶賛するだけで、中嶋美智代は相槌しか打てないぐらいの状況のまま取材終了となったからビックリなのだ！

この取材について、リリーさんは「だって話なんか聞かなくてもいいじゃないですか。ほかの雑誌を見れば書いてあるし（笑）。原稿を書くときも、俺は本人がしゃべったことってひとつも書かないから。誰の原稿でもそうなんですよ。ずっと、なにを思ったかってことだけしか書いてない。だから向こうも取材なんか受けたのがバカバカしいって感じ」と言っていた。そして原稿が届いたら、ずっとリリーさんが中嶋美智代への熱い思いを語り続けて、最後の二行ぐらい本人の発言があるだけという、これは果たしてインタビュー記事なのか？と思うような代物になっていたのである。

「俺、テレコも持ってってなかったから、自分が取材するときは。で、メモも取らない。もう覚えてることだけで書いてた。ときどき『テープ録らないんですか？』とか『メモ取

らないんですか?』とか言う人いましたけど、『いいこと言ったら覚えてますから』って言うと黙るんですよ」(リリー)

なお、当時リリーさんに「豪が好きな豪快な俳優やミュージシャンはどんどん死んでいくから、取材対象がいなくなっちゃうでしょ? この先は政治家を取材したほうがいいよ」と言われたこともあったけど、いまも取材対象はなくならないまま、あえて政治家とは距離を置いたスタンスで仕事を続けられているのであった。

聞き出す力——其の四十

対面のインタビューは相手に気を遣うので揉めないが、書評という仕事で舌鋒鋭くなると危険である！

ボクが自己認識と世間的なイメージとのズレが気になり始めたのは、おそらくボクと丸岡いずみさんのコンビで二〇〇八年から一〇年まで日テレNEWS24で放送された……といってても地上波の放送終了後、CSの映像が流れるフィラーの時間を狙い撃ちにしたのでひっそりと地上波でもオンエアされていたゲリラ番組『およよんNEWS＆TALK』のときだったと思う。真夏の逗子海岸で、なぜか丸岡さんと二人で視聴者制作の『およよんのうた』をデュエットするという謎の企画のとき、そこに「毒舌のインタビュアー吉田豪」という歌詞が入っていたのである。……え！

果たしてボクは毒舌なのか？　こんなに温和で人の悪口も言わず、常に敬語で、どんな厄介な人間の厄介な言動や行動に対してもちゃんと受け身を取るタイプなのに！　その後も旧ＢｉＳの最初のトークイベントの司会として呼ばれたとき、プロデューサーの渡辺淳之介さんに「吉田さん、こいつらを容赦なく言葉でボコボコにしちゃって下さい！」的なことを言われて、「いや、むしろボクはアイドルの味方的なスタンスで、運営を批判する側なのに！」と思ったこともあった。それなのに、なんで「毒舌インタビュアーの吉田豪がブッタ斬り！」的な企画に引っ張り出されがちなのか意味が全然わからないのである。いや、本気でそう思っていたんだが最近になって謎が解けた。プロインタビュアーとしては温和で優しくても、プロ書評家としては毒舌で性格が悪かったことを自分でもすっかり忘れていたのだ。

今度、『ゴング格闘技』の書評連載をまとめた単行本が出るので二〇〇五年から現在に至るまでの原稿を読み直したら本気で驚いたし、あまりの口の悪さに自分でも爆笑した。徹底した個人攻撃と、相手のミスは決して見逃さない執念深さ。どうかしてるよ！

ボクが編集プロダクションで三年ほど働いてから『紙のプロレス』編集部に入ったのが一九九五年で、『書評の星座』という連載を始めたのもその時期だった。つまり、当時は出版の世界に入ってからのキャリアも三年で、プロレス～格闘技をそれなりに追うようになってから（といっても雑誌もたまに買うぐらいで試合もほとんど観ていない）も三年ぐらいだったから、本を出しているような人間はみんなボクより年上で、プロレスや格闘技についても自分より詳しいはず。それなのに、ボク程度の知識の人間でもわかるぐらい間違ったことを書いてたりするから容赦なく叩いていたのは覚えている。でもそれ、自分が相手より年下で立場も下だからこそやれていたようなことなので、気分はヤングライオンであり『夢☆勝ちます』。それから一〇年を経て三〇代半ばになった頃には、かなり温和になっていたつもりだった。『紙のプロレス』と決裂したのも書評きっかけだったからこそ、『ゴン格』に移籍した後はより注意深くなっているはず……だったのだ。

ボクが常々言っている「インタビューの仕事で揉めることはまずない。むしろ危険なのは書評」というのは当然の話で、インタビューでは対面で腰も低くちゃんと話を聞いているから揉めるほうがおかしいけれど、えらいギラギラした喧嘩腰な書評を書くのは危険に決まってる。それに、エロ本でアイドル本書評や俳優本書評を書いても本人はまず読まないだろうけど、よりによって物騒な格闘技の世界で、しかも本人がまず確実に読む格闘技専門誌でそんなこと書いていたら、格闘家に脅されたり、空手ライターに「ヤクザを使ってお前をさらう」と宣言されたりするのも、そりゃあしょうがないのである。自業自得！

そんな危険な世界でどれだけギリギリの戦いを繰り返してきたのか、これを読めばわかってもらえるはずだけど、こうして単行本化されることでいままで気づかなかった当事者にも届いて、時差で怒られる可能性も大！「書評は平和ではない。書評は戦いである」と書いたことが、ここまで現実になるとは思わなかったのである。

聞き出す力――其の四十一

世の中が殺伐としているときこそ、いつも通り、バカ話に花を咲かせるのが大事なのだ!

この原稿を書いている時点では……というか確実にこの雑誌が発売される時点でも……というかこの先しばらく、世の中が新型コロナで大変なことになっていることだと思う。

個人的には「コロナの影響で締め切りが前倒しになります」という『ゴラク』編集部のメールが衝撃的すぎたりもしたんだが、そんな時期だからこそボクは一〇年ほど前、みうらじゅんさんに言われたことを思い出したのだ。

みうらさんはもともと糸井重里門下だからサブカルの世界では珍しくビジネス的な発想ができる人で、ボクの取材時にこんなことを言っていた。「今の時代、儲かるのは『不安商売』だけでしょ」「本とか特にそうで、不安を売るほうが商売になる」「俺がもうひとつブレイクしないのは不安を売っていないからだ」と。言われてみれば健康でも占いでも国防でもどんなジャンルでもそうだろうけど、世の中で売れる本は読者の不安感を刺激するようなものばかり。宗教や情報商材はその不安を利用したビジネスなんだろうし、単なる娯楽よりも不安商売のほうが確実に儲かるわけである。

たとえば、リリー・フランキー『東京タワー』（著者曰く、これは世の中で親孝行の本だと思われているけれど、どう考えても親不孝の本とのこと）は大ベストセラーとなり、映画にもドラマにもなったけれど、みうらさんの『親孝行プレイ』という本はそれほど話題になることもなかった。「リリーさんの『東京タワー』が何故売れたのかっていうと、お母さんがもし死んだらっていう不安が誰にでもあるから」（みうら）。そして、みうらさんの『親孝行プレイ』は、プレイで親孝行をすれば不安もなくなりますよっていう本だし、なおかつ母親も生きていて、安心を与えるための本だからさほど売れなかったのだ。

最近、話題になった『100日後に死ぬワニ』にしても、死ぬまでのカウントダウンを毎日しながらどうってことのない日常を過ごすワニに読む側が不安を感じたからこそあんなにヒットして、最終回でワニが死んだ後にどれだけビジネス展開をされても、不安がなくなった後だからそっちはあんまりバズらない、と。

みうらさんは、それがわかった上で「不安タスティック」という概念を提唱していたわけなのだ。これは、人生は常に不安なものだけど、「不安」に「タスティック」をつけることによって毎日を楽しんでいこうじゃないかという行為なんだが、つまりあえて不安を間抜けな方向に転化させる行為であり、ビジネス的には完全に逆効果。読者を安心させせたら売れないが、結局のところサブカルというジャンルは安心商売ってことなのである。

二〇一一年の震災後、サブカル的なジャンルで活動している人たちは、自分たちの仕事が世の中の役に全然立ってないことに悩んでいた。ふざけたことをやると不謹慎とか叩かれがちだったあのとき、世の中に必要とされていないことをやっていいものなのか、と。

でも、そんなことはなくて、サブカル稼業は大きなお金にはつながらないけれど、いつも通りのバカ話をすることによって人を安心させるという意味で、ちゃんと役に立つ仕事なのだ。もちろんコロナで大変なことになっているいまもそう。世の中が殺伐としてきてTwitterでも思想的な対立ばかりが際立つようになり、普段ふざけているような人たちもやたらピリピリしているけれど、だからこそボクらがマイペースにバカ話を続けないでどうするのか。人の話を聞くのが仕事のボクも、ゲストを自宅に招くＳＨＯＷＲＯＯＭ番組『豪の部屋』にゲストも配信スタッフも呼ぶことができなくなったが、それでもいまボクは一人で配信を続けているのである。

サブカル界の名言に「でもやるんだよ！」というものがある。無意味だとわかっていることでもあえてやる覚悟の言葉みたいなものだが、むしろボクは土井たか子「やるっきゃない」的なマヌケさを胸に今後もやっていきたい。

聞き出す力——其の四十二

完成したインタビュー原稿の裏にある、インタビュアーの苦労や書けないことを読み取るべし！

生前は本を出さないと公言していたのに、樹木希林没後の出版ラッシュによって、ついに『希林のコトダマ　樹木希林のコトバと心をみがいた98冊の保存本』（芸術新聞社、二〇二〇年）という蔵書紹介本まで出版されるに至った。

前書きには、こうある。「自分の家は、いつも整理整頓、余分なものはなにも置かない、絵も写真も飾らない主義の希林さんに、本をどういう具合にしているのか、とたずねた。答えは簡単だった。『百冊以上は、家に置かないの。あたらしく気に入った本、手元に置きたくなった一冊がでてきたら、百冊のなかの一冊を、人にあげてしまうの。だから、いつも百冊』という返事だった」と。

そんな樹木希林の、養老孟司とか深沢七郎とか大岡信とか、ちゃんとした本が並ぶ厳選されたこの蔵書百冊の中に、なぜかボクのインタビュー集『人間コク宝』（コアマガジン、二〇〇四年）が！　そして、著者の『relax』『POPEYE』元編集長の椎根和氏は、「希林がこの本を自分の〝人生の百冊〟に入れたことに、敬意と賞賛をささげたい。泥のなかからダイヤモンドを発見するような慧眼と本物のインテリジェンスがないと、この本を、手元におけない。『人間コク宝』は、リアルで空虚な芸能界で、自分の真実だけをつらぬき通した芸能人の本物の声だけをインタビューという形で表現したものだ」などと、ひたすらボクを褒めちぎるわけである！

いや、これ実はボクが二〇〇八年に『本人』という雑誌で希林さんを取材したときにプレゼントしていただけの話なんですよ。そのとき一緒に渡した内田裕也『俺はロッキンローラー』のオリジナル版（講談社、一九七六年）も百冊の中に入っていて、どちらも手放さずにいてくれたんだとは思ったけど！

さらに、こう続ける。「著者の吉田豪については、本の帯に、こう記されている。『本人よりもその人に詳しい芸能本史上最強のインタビュアーによる濃厚インタビュー集』とあるが、これはウソではない。芸能人本にありがちな、ヨイショとウソにまみれた文は一行もない。希林は芸能界の〝地獄耳〟といわれたほど、他のタレントの哀話・ヒトには言えない事を、いっぱい、たくさん知っていた。その希林が、十数年も、自分の書棚に置いておくだけの価値を認めた凄い本なのだ」って、その帯文のせいで「あなた、本人よりもその人に詳しいんでしょ？　今日は私が知らない話が出てくるのを楽しみにしてます」ってインタビュー直前にプレッシャーをかけられて、大変なことになったんですよ！　それなのに「芸能人をインタビューしながら、トータルとしてこれほど品のいい文章を書けるのは、吉田豪だけだろう。対話が、夏目漱石の小説『草枕』の会話みたいに思えてくる」とまで持ち上げてくれるけど、草枕なんて新宿御苑前のカレー屋ぐらいしか知らないです！

続いて「一八人の最後に内田裕也が出てくる。希林は裕也が登場するから、この本を保存版にしたわけではない。残り一七人の分が、ふるえがくるほどよかったから、残したのだと思う」と褒められているけれど、残した理由は裕也さんにジョー山中に桑名正博と裕也ファミリーが大量掲載されているからだと思うし、「裕也は、吉田豪に『女に溺れることはなかった』とふられて、『いやあ、女も嫌いじゃないけどな。狂いはしなかったけど、一

〜二回はちょっとこう……。だからKさん（樹木希林）には『自分の子供の家庭っていうものに対してちゃんとしないで、なにがラブ&ピースですか！』って殴られたことあったよ（笑）』。裕也は吉田豪の調査能力と気合におされて、吉田にワインをサービス、居住まいを正し、ロックンローラーは家庭の内のことは禁句、をはじめて破って、それでも恥ずかしかったのか、『Kさん』などととぼけた。芸能界のコトダマは、吉田豪から発せられる」と言ってるけど、別にそれほど禁句なわけでもなかったはず。ちなみにこの後は、水道橋博士『藝人春秋』がなぜか酷評されてました！　ボクは褒められてて良かった！

聞き出す力——其の四十三

インタビューを始めてもなかなか喋ろうとしない相手には、その状況をそのまま伝えるのもテクニック！

都知事選の時期なのであえて名前は伏せるが、とある政治家のノンフィクション本を読んでいたら、インタビューを仕事にしている人なら誰もが戦慄するような話が出てきた。

「約束の時間にインタビューに行ったが、●●（もちろん小池百合子）は積み上げた祝儀袋に自分の名前を書く作業をやめようとしない。インタビューを始めたが、下を向いて筆を走らせながら、『ぐもーん（愚問）、次』『それで？』『はあ？　それ私に聞くの』というばかりで、まともに応じてくれなかった。あんなに嫌な思いをしたことはない、という取材者の声がある」

怖すぎる！　ただ、さすがにここまで感じは悪くなかったし、イメージ通りだからある意味楽しかったんだが、ボクがこれと近い経験をしたのは二〇〇八年の浅井健一インタビューのときだった。無口でインタビュー嫌いな彼と初対面で信頼関係もないまま一万字インタビューを成立させるのは大変だろうなと思ったら、まず「インタビューを始めます」って言ってもずーっとギターを弾いてるし、編集者が「『POPEYE』という雑誌です」と挨拶して見本誌を渡したら『POPEYE』を読み始めるし、「ボクは最近、ミュージシャンのインタビュー集を出したんです」と『バンドライフ』（メディアックス、二〇〇八年）を渡したら、今度はその本も読み始めるしで、ちっともインタビューが始まらない！

なので、そんなこの状況をそのまま伝えるドキュメントにしてみたのだ。「ホントにインタビュアー泣かせだと思って（笑）。テレビに浅井さんが出てるとハラハラしますからね」「そうだね、俺もハラハラする」「ダハハハハ！　たまに浅井さんのインタビューを読んでたら、こっちが凍り付くこともありますからね」「ホント？　なんで？」「『そういう質問する意味がわからない』的なことを繰り返してインタビュアーを責めてたりとか。それはそれでおもしろいんですけどね」「だって、たまにホントにわからん人おるもん。ＣＤのプロモーションでインタビューやっとるのに、『すいません、ＣＤまだ聴いてないです』って途中で言う奴とかおったもんな。すぐ帰ったけど」「帰っちゃった！　でも、そこでやめられるのもすごいですよね」「っていうか、当たり前だよね、やめるの。それはそいつが悪い。一回、生放送の途中で帰ったことあるよ、ラジオで。『あ、帰るわ』とか言って。すごいムカついたんだよ、その人に。なんか頭にきてさ」「ダハハハハ！　だけど、途中で帰ったあとって怒られませんか？」「怒られん。誰に怒られるの？」「たとえば事務所だとか」「全然」。

こんな会話から始まり、新譜の宣伝みたいな話もしたくないし、生い立ちを話すのも飽きたという彼に「いまなにを語りたいですか？」と聞くと、「いまは……経済かな」という意外すぎる返答。案の定そっちでは話が広がらず、「ムダが多いなと思うよね」との話の流れで、「最近、このビルにも電気ショックの消火器みたいのが置かれてるけど、あれって何なの？」と、なぜか話題はAEDに！　そこで、知る限りのAED知識を伝えると、「あれも莫大なお金かかってるはずでしょ。あれホントに使われるのかなとか、なんか変じゃないのかなとか思ってたんだよね。ああ、いるんならいいわ」と納得したりの、えらいボンヤリしたやり取りが続いたのだ。

細木数子を「あの人は志が高いから好き（キッパリ）。社会をよくしようと思っとるのわかるから。あの人が嫌いだって人がいるのはもちろんわかるけど、俺はあの人いいと思う」「あの人、立派じゃん。最近なんで出て来なくなったの？　もう飽きたんかなあ？」と絶賛したり、安倍晋三や麻生太郎を絶賛したりしつつ、「いま何千字までいった？」「六〇〇〇～七〇〇〇ぐらいでしょうね」「マジ？」と言い出して、最後は「無理に一万字しゃべる必要ないんじゃない？　結構な量しゃべったよね、すでに」とギブアップ。結果、普通のインタビューではなくなったから、これはこれで良しなのであった。

聞き出す力――其の四十四

ギャラの問題は人それぞれ、先達に頼らず、自分の考えでギャラを上げたければ動けばよいのだ！

ボクのSHOWROOM番組『豪の部屋』に鬼越トマホークがゲストに来た回が非常に好評なんだが、そのとき「豪さん、今度は俺らのYouTubeにも出てほしいんですけど、ぶっちゃけ、ギャラはいくらぐらいで出てもらえるんですか?」と鬼越に聞かれて、「そんな高くないですよ。友達ならノーギャラで出たりもするし」「……俺たち、もう友達ですよね!」というやり取りがあった。そして、それを観た人が「吉田豪には、友人仕事でもピンキリと言わず、ちゃんとカネを求める姿勢をとって欲しいな、と。トップランナーが収益確保の道を作ってくれないと、後が続かないよ」とかTwitterでつぶやいていたので、ボクはこう答えたのだ。「『後輩のためにも手塚治虫が原稿料をもっと貰うべきだった』とか批判されたりもしますけど、ボクはベテランになっても原稿料を上げず、最後まで若手と同じ土俵で戦い続けた手塚治虫の姿勢が大好きなので、賃上げ闘争したい人は勝手にやればいいだけだと思ってます」と。

だって、要は「俺たちのために手塚治虫がちゃんと戦ってくれれば良かったのに」ってことでしょ？　手塚治虫には不満がなかったんだからわざわざ戦う必要はないし、不満があるなら自分で戦えってだけの話。法外なギャラも取らず、最後までハイクオリティな作品を作り続けた手塚治虫が、なんで批判されなきゃいけないんだとボクは思うのである。

手塚治虫は漫画界だけではなく、アニメの世界でも後輩から批判されてきた。宮崎駿も「昭和三八年に彼は、一本五〇万円という安価で日本初のアニメ『鉄腕アトム』を始めました。その前例のおかげで、以来アニメの製作費が常に低いという弊害が生まれました」と発言。しかし、手塚治虫は著作権を自分が持っていて、商品化や海外に番組を売ったりした、そのお金が全部入ってきたので赤字なわけではなかったし、制作会社・虫プロのスタッフへの支払いもちゃんとしていた。悪いのは、著作権もないのに安い制作費でアニメを作り、スタッフへの支払いも安くした、他のアニメ会社のはずなのである。だから安彦良和も、ボクの取材でこう言っていたのだ。

安彦　逆に宮崎的な手塚批判も違うと思うんですよ。それ言っちゃダメですよって感じする。わりと最近言われてるんじゃないですか、「日本のアニメをダメにしたのは手塚治虫だ」的な。それはいくら宮崎さんの言葉とはいえ違いますよっていうのはあるよね。

――最初に手塚治虫が安くアニメを作っちゃったのが全部悪いんだ、みたいな。

安彦　うん、ちょっとそれっぽく聞こえるけどそうじゃないですよ。そこから、じゃあ安かろう悪かろうで、そのなかで何ができるかって試行錯誤が始まったわけで。だいたい当時のギャラってそんなに安くないです。僕が入る前、六〇年代のアニメ業界は結構いい金でみなさんやってたんですよ。その名残は虫プロが潰れるまであったし。

――虫プロは手塚先生のおかげなのか待遇も比較的ちゃんとしていたみたいですよね。

安彦　ええ、ちゃんと人並みの給料は払ってたし、残業代も払ってたし、みんないい車に乗ってたしね。虫プロが七三年に潰れて、それから世の中的にも不景気になって、アニメーターに余分な金を払ってたらえらいことになるぜっていうんで、どんどんお金が細っていくんですよ。それについて手塚さんは直接の責任はないですよね。みんなして手塚さんのスネかじっていたんです。「会社に金ない。手塚さんのところにあるんじゃないの?」みたいな。それでみんな甘えてた。で、手塚さんも実際、どっかからお金出すしね。

この後、宮崎駿には天下の東映という正統派のプライドがあって、俺たち虫プロみたいな雑草育ちを見下していたという安彦さんの恨み節が爆発。結局、手塚治虫は金払いがいいのにいつまでも叩かれる、最大の被害者だったはずなのである。

聞き出す力──其の四十五

インタビュアーは敵でも味方でもない立ち位置で、良いことも悪いことも全て面白い原稿に昇華させるのだ！

ボクがインタビューをする上でのモットーは、「ボクはあなたの敵でもないし味方でもない。だから本来ならスルーすべきデリケートな部分に触れたりもするけど、心を開いて話してくれたら結果的にプラスにしてみせる」というものだ。その延長線でTwitterもやってるつもりなので、当然何か騒動があれば両方の言い分をリツイートするし、デリケートな話題にも触れるんだが、最近は「敵なのか味方なのかハッキリさせろ！」とか面倒なことを言う人が増えた気がしてならない。

なので先日、こうつぶやいたのである。

「知人がTwitterで燃えているとき、触れずにいたら『仲いいからスルーしてる！』と言われるし、知人の言い分をRTしたら『やっぱり●●側だ！』と言われるし、トラブル相手の発言も両方RTしたら『中立ぶって面白がってる！』と言われるし、どうしたって文句は言われるから勝手にするしかないんですよね」

「踏み込んだ話をするのに適した場所はほかにあって（実際そこではかなり話している）、Twitterはそれには向かないツールだと思っているので、あえてここで踏み込んだ意見表明はしないようにしています。でも、それはあくまでも自分ルールなのでやりたい人は好きにやればいいし、ボクも好きにやります」

生ハムと焼うどんという二人組グループが分裂したとき、「お前はどっち側なんだ！」と聞かれる度に「ボクはどっち側でもなくて、いつかまた二人で活動して欲しい側です」と公言して、両側と交流を続けた。実はこれ、どっちか一方の味方になるよりも難しい行為だけど、ボクはそういうことをやり続けたいのだ。

そして、そんな自分のツイートの真意については、Twitterという無料だからこそ荒れやすく誤解も生みやすいツールではなく、課金によって多少ハードルを上げた、ある程度同じ知識を共有した人が集まる、それなりに時間も割ける場で話すようにしている。

なぜかというと、ボクも含めて表現でお金を稼いでいる人は基本的に「ファンが喜んでくれること」を大事にする職業。しかし、Twitter のフォロワーは、あくまでも観察者であってファンではない。もちろん中にはファンもいるけれど、そうじゃない人も大勢いて、だからこそ宣伝ツールとして有効なわけだけど、その辺が麻痺していくと「フォロワーが喜ぶこと」に流されていきやすいのだ。

フォロワーが良くも悪くも反応しやすいもの。それが政治の話である。賛成でも反対でも誰もがつい意見表明したくなるテーマなので、Twitter でそこに触れた途端いつもとは明らかに違う大きな反応があるし、それを見て「あ、ファンはこういう話題が好きなんだな」と思ったとしてもしょうがない。

その結果、本業より政治の話が多いアカウントが生まれたりするんだろうし、左右問わず有名人が政治的な主張をしたら好意的な意見が殺到するのと同じぐらい、反対意見の持ち主からは口汚く罵倒されたりしがちなので、反動でより思想的に偏っていくから地獄。

最近、「つるの剛士は排外主義者だ!」と批判する人が出てきたり、批判した側が墓穴を掘って叩かれまくったりする騒動があったけど、別に彼は排外主義者というわけではないと思う。ただ、排外主義的な人が喜ぶツイートをしたときの反応の大きさが癖になってる部分はあるんじゃないか、と。左右問わず、Twitter 上で政治的な主張が多めな人は大体そうで、フォロワーの反応によってより片側に寄っていっただけなんだと思うのだ。

課金しているわけでもない、つまりファンなわけでもないフォロワーを喜ばす方向になってもしょうがない。それなのに、政治的な発言が増えると、それを嫌うフォロワーが離れ、思想的に近いフォロワーばかりが残り、どんどん偏っていくから厄介なのである。

聞き出す力——其の四十六

書評において批判する際は、純粋に文章を批判すべし。容姿を批判するのは絶対ダメ!

ボクはプロインタビュアーだけではなく、プロ書評家という肩書きも名乗っているが、そちらの活動はインタビュー業と比べるとあまり知られていない。一時は『投稿写真』『スーパー写真塾』『熱烈投稿』という投稿写真誌三誌同時連載を果たしたり(誰も褒めない地味な偉業)する中、エロ本を中心に活動してきたせいだろうか。それでも『TVブロス』のタレント本書評連載を花田紀凱氏に絶賛されたり、いまも『週刊新潮』や『AERA』で新刊書評を続けてたりするし、実は最初の単行本のテーマもタレント本書評になるはずだったんだが、インタビューではなく書き原稿だとどうしても手直ししたい部分が多すぎて、それよりも雑誌の仕事を先に済ませたりしているうちに企画が二回も流れてきた過去もある。なので、『書評の星座』（発行 ホーム社、発売 集英社、二〇二〇年）という本を出版できたのは奇跡だった。

これは現在も『ゴング格闘技』で続いている連載の二〇〇五年から一九年まで、約一五年分をまとめた本で、つまりボクが三〇代半ばから五〇歳直前になるまでの期間。すっかり大人になって温和な平和主義者になってからの本だと思って安心して校正作業をし始めたら、あまりの口の悪さに自分でも驚いた。基本、プロレスラーや格闘家にはリスペクトがあるので攻撃の対象にはまずしないんだが、ライターや編集者に対してはとにかく容赦ない。もともと『紙のプロレス』で『書評の星座』の連載を始めたとき、当時のボクはまだ二四歳とかで、この仕事を始めてからまだキャリアも浅いし、プロレス～格闘技にハマってからの期間も短かった。だからこそ「俺みたいな素人でも知っているようなことを年上のプロが何もわからず、のうのうと本を出しているのは許せない！」とスイッチが入って、自分より年上の同業者に対しては何を言ってもいいってルールになっちゃったんだと思う。

そのため、本を読んだ人から「吉田豪の口が悪すぎて驚いた」的なことを言われたんだが、これがそれなりに売れた結果、『紙プロ』時代の『書評の星座』も単行本化されることが決定！　一九九五年から二〇〇四年までの約一〇年間、つまりボクが二〇代半ばから三〇代半ばまでという、いまよりもギラギラしていた時代の文章をまとめるのなんて、かなりの地獄！　正直、校正するのも怖いし、だからと言って校正しないまま出版したらもっと怖い！

しょうがないから我慢して二五年前の文章を読み始めたところ、意外と文章はちゃんとしていた。ただ、他人に噛み付くときに文章を批判するだけじゃなくて、相手の外見にも容赦なく噛み付きまくっていたのが、いまとなっては完全アウト。「内容もそうだけど、そもそも作者のビジュアルが気に入らない」ぐらいのことというか、もっとひどいことも連発していて、ホントあの頃は完全にどうかしてました！　とりあえず、具体的な容姿批判はほとんどカットさせていただいたんだが、実は前作と比べてもそれほど直しは多くなかった。むしろ、表現こそアレだけど間違っていると思う相手を探し出して批判する、その能力の高さは自分でもすごいと思ったぐらいなのだ。

ちなみに、ボクがずっと批判していた大沼孝次という人物はその後、二〇〇二年に第一一回日本トンデモ本大賞で次点になったりと、漫画の謎本の世界でもやらかしを繰り返していたようなんだが、ボクが最初に彼のダメさに気づいたのは『OH!プロレス&格闘技VOL.1』(フットワーク出版、一九九五年)掲載の天山広吉インタビュー。「最後にもうひとつ、お聞きしたいのですが、よく海外マットでは『この試合では負けてくれないか』という八百長があると聞きますが、そういう事はありましたか」(大沼)、「いえ。自分の回りでは、そういうことは聞いたことありません」(天山)、「そうですか。では、どうもありがとうございました」(大沼)って、こんな隙だらけのことを言ってるような人間をボクが見逃すわけもないのであった。

聞き出す力——其の四十七

サブカルチャーは時代の徒花。不景気になっても、内容の濃さで勝負すべし！

たまに「吉田さんは、なんであんなひどい雑誌で連載しているんですか？」と聞かれることがある。ボクはいま『実話ＢＵＮＫＡ超タブー』で「人間コク宝インタビュー」という連載をやっていて、単行本に収録されない回もあるからしょうがなく読んでるけど、他のページがひどすぎるとか言われがちなのだ。

『実話ＢＵＮＫＡ超タブー』は「日本を代表する良心的人権派雑誌」を名乗ってこそいるが、そんなわけもない全方位攻撃型雑誌なので、その気持ちは正直わからないでもない。

まあ、ゴリゴリのスキャンダル雑誌だった時代の『ＢＵＢＫＡ』で連載していたときからそういう文句は言われてきたし、ボクはスキャンダルページには一切関わっていないのに一部の芸能事務所から敵視されたりもしたし、そもそも「人間コク宝」シリーズも最初は『ＢＲＥＡＫ Ｍａｘ』という『ＢＵＢＫＡ』の姉妹誌＝それなりにひどい雑誌で連載していたので、おそらくいまはひどさの質が違うってことなのだろう。ボクも実は『実話ＢＵＮＫＡ超タブー』から連載のオファーをされて、しばらく返事をしないでいたぐらいだし。

あえてフォローすると、オタク批判記事とかが定期的にネットで炎上している『実話ＢＵＮＫＡ超タブー』だが、思想的に偏っているわけでもなく「右も左も馬鹿にする」「政府も反政府側も馬鹿にする」という姿勢はとりあえずフェアではあるし、ボクが誰を取材するのも、どれだけの文字数にするのも自由で、どんな内容になってもそのまま載るのも、やっぱりフェア。最近、元ＡＶ女優の澁谷果歩が『ＡＶについて女子が知っておくべきすべてのこと』（サイゾー、二〇二〇年）という、ＡＶ業界のタブーに踏み込む本を出したとき、すぐインタビューに行って出演強要問題とかブラックな部分をたっぷり掘り下げたときも、それがそのまま掲載されたぐらいなのだ。ＡＶの企画が毎回あってレーベルとも仲良くやっている雑誌のはずなのに、この自由さは異常！

他の媒体で、ここまで好き放題にできるところは現時点で実は存在しない。それまで好きにできていたはずの雑誌も、担当編集が替わったり、雑誌の売り上げが落ちたりするうちに編集から「もっとメジャーな人を取材して下さい」とか「もっと文字数を減らして字を大きくできるように読みやすくして下さい」とか言われるようになってくるわけで。それを思うと奇跡のような雑誌だから、ボクにできるのは自分のページをとにかく濃厚に面白くすることだけ。

なお、取材相手にはいつも「全方位に悪口を言いまくっているひどい雑誌なんですけど、ボクのページだけは平和です」と言っているんだが、敏いとうや前田五郎、上条英男にハーリー木村といった物騒な面々が好き放題なことを言いまくるインタビューが平和なわけもない。雑誌側の考える過激さとか物騒さに対する自分なりの返答として、もっと物騒な発言とかを載せつつ、いい話に着地させているつもりなのだ。

エロ本撤去の余波でコンビニに雑誌がほとんど置かれなくなって、コンビニ頼りになっていた出版業界が致命的なダメージを受けるようになった現在。売れ行きが落ちたことで、エロ本から好き勝手なことがやれていたモノクロのサブカルページがなくなっていったように、ボクみたいな仕事は本来、そういう余裕の上で成り立つジャンルなんだと思う。

「それならネットでインタビュー連載をやればいいのに」とか言う人もいるんだが、ネットはギャラがまだ紙よりも安いし、ネットなら文字数に制限もないのかと思ったら、その逆で「読者が読みやすいように文字数は少なくして下さい」と言われがち。面白ければどれだけ長文でも読むから大丈夫だといくら言ってもなぜか聞き入れてくれない媒体ばかりだし、唯一好き勝手な人選で、好き勝手な文字数でやれていたネット連載も消滅。なので、ボクは今後も『実話BUNKA超タブー』でいままで通り物騒なインタビューを続けていくつもりなのである。

微妙な出来のインタビューが生まれがちな理由、それは主にギャラの安さにあるのだ！

ボクとは『en-taxi』という文芸誌を通じて微妙な接点があった作家の柳美里さんが、Twitterでこんなことをつぶやいていた。

「インタヴューに応じ、ほぼ文字起こしのままのヤツに手を入れるんだったら、しゃべるんじゃなく、原稿を書いた方が早いんですよ、ゲラの手入れに時間がかかり過ぎるから。ライターの方は、インタヴューの音源を素材にして原稿を書いて送ってくださるようお願いいたします」「わたしは取材謝礼だけで、原稿料はもらってないから、徹夜して（読み物としての最低限のレベルに持っていくために）手を入れるのはおかしいよな、でも、これを出すわけにはいかないよな、わたしがボツにするわけにもいかないし……と愚痴りながら延々と手を入れています」

……わかる！　これはインタビューを受ける経験をした人なら、きっと誰もが理解できることだと思う。正直、自分がインタビューされた原稿がメールで送られてきた時点で、まず確実に文章として微妙なものになっていることが読む前にわかっているから、テンションが下がってなかなか原稿チェックする気になれないし、いざ見始めたら直す部分が多すぎて、やっぱりテンションが下がる。そして、かなり頑張って直してなんとか面白く仕上げても、「この原稿が面白くなって、そのライターが評価されるのは釈然としないし、なんでここまで手間を掛けて他人の評価を上げるための活動をしなきゃいけないんだ」ってことで、やっぱりテンションが下がるのだ。

しかし、微妙なインタビューが世間に出ることで、自分の発言が面白くないと思われても困るからやるしかなくて、結局は文句を言わずにはいられなくなるのである。……ということを前提としつつも、これはインタビューされた側としての共感であり、インタビューする側としてはまたちょっと話が変わってくる。

インタビュー原稿を、柳美里さんが望むように読みやすく編集し、相手が言ってもいないことを捏造したりはしないけれど、助詞なりを補ったり前後を入れ替えたりするのがボクの基本なんだが、実はこういう編集を嫌う人もいたりする。自分の発言をそのまま使うのであれば文句はないけれど、変に加工するのは嫌だと語る、昔の長州力みたいなタイプだ。言ってもいないことを捏造するマスコミ不信のせいでもあるんだろうが、その結果、「だからアレだぞ、このままだとアレだ」みたいな何を言っているのかサッパリわからない長州力のインタビューが『週刊ゴング』に何度も載るようになっていたわけである。

そして、微妙な出来のインタビュー記事が生まれがちなのはライターだけのせいではない。音楽ライターの柳樂光隆氏が「インタビューしたライターがまた問題になってるけど、例えば、僕は一〇年以上のキャリアがあるけど、『取材は数日後、〆切は一週間後、ギャラは取材・文字起こし・構成含めて一万円』みたいなのが今でも普通に来るんですよ。そもそも労働環境に関しても考えた方がいいよね、それ無茶だもん」とボヤいていたように、ギャラ分の手間しか掛けられないんだから、そりゃあ高いクオリティを要求するほうが無理というもの。ボクも三〇年近いキャリアの持ち主なのに、やっぱり原稿料一〜二万円程度でインタビュー取材のオファーがきたりするので、この仕事でプロが育たないのもしょうがないと思うのである。

ちなみにボクは激安すぎるインタビュー依頼の場合、聞き手だけ担当して原稿は先方が仕上げるとかであれば、そして下調べのそれほど必要ない相手であれば引き受けるようにしている。その結果、また原稿チェックでのリライト地獄が待ち受けているわけなんだが、それでもなるべく幅広い仕事を続けて、若手ライターと同じ土俵で戦い続けたいと思っているのだ。そんなわけで今後も居場所を奪われないように老害活動、頑張ります！

聞き出す力——其の四十九

討論において論破しようとするのは間違い。ギャラリーを味方につけて、判定勝ちを狙うべし！

これは昔から思っていることなんだが、論争や口喧嘩で「論破してやったぜ！」とか言ってる人は何もわかってない。本人は「言い負かしてやった！」つもりなのかもしれないけれど、相手はまず確実に負けたとは思ってないだろうし、ギャラリーがいる状態で論争した場合は、人前で恥ずかしい思いをさせられたってことで余計な憎しみを抱く結果になるだけ。自分はそれでスッキリしても、相手はいつまでもそのことを忘れず、いつか復讐してやろうとチャンスを窺いかねないので、本当の勝敗なんかわかりゃしないのである。

それはもちろんネット上の論争の場合も同様で、格闘技の試合みたいにＫＯやギブアップでスッキリとした決着が付くことはありえないし、レフェリーストップも存在しない。

勝敗はギャラリーによる判定だけなので、自分から負けを認める人間なんて出てくるわけもないし、どんどんグダグダな展開になるものなのだ。

　ましてや一四〇文字という制限もあり、論争の途中で古い発言や途中の発言が拡散されておかしなことになりがちな Twitter が論争に向かないことは前から言われているはずなのに、それでも多くの人が Twitter で論争し続けているのが不思議でならないとボクは思う。もはや Twitter は自分の主張を載せるべき場ではない。ボクはそう思っているのに、なぜか「Twitter でちゃんと主張して下さい!」「黙っているのは悪に同調したのと同じ!」みたいに言ってくる人も多いから本当にめんどくさい。そこで主張したら、無意味な論争に発展してグダグダに終わるだけなのに、なんでそこに巻き込もうとするのか不思議でしょうがないのである。これこそ、まさに「不毛な議論」!

　そして、最近は Twitter のみならず世の中全体が殺伐としてきて厄介な論争も増えている印象。先日、おぎやはぎ小木さんとフェミニストの方々の論争が Clubhouse で行われたときは、そこに途中で加わったお笑いジャーナリストのたかまつななさんが「強い言葉が効果的なことは、もちろんあるが、小木さんにそれが必要だったのだろうか。クラブハウスでは、小木さんがいじめられてると感じた」「語り口の優しさが私は大事だと思うんです。目的がよくても、手段がダメなことがある」などと発言し、「それは典型的なトーンポリシングです」と注意されていた。

「トーンポリシング」とは、「発言の内容ではなく、それが発せられた口調や論調を非難することによって、発言の妥当性を損なう目的で行われる行為」のこと。たかまつさんの発言がこれに当てはまるのは事実だろうし、フェミニストの方々も「優しく諭したところで相手は何も変わらない」と反論していたんだが、ボクが気になったのはそこ。ネット上での討論の目的は相手を変えることじゃなくて、ギャラリーを味方につけて判定勝ちに持っていくことだとボクは思っているのだ。

相手はそう簡単には変わらない。でも、ギャラリーの心を動かすことはそれより簡単なはずだし、それには言い方も重要になってくる。圧倒的な権力者を責め立てる場合には強い口調も有効だと思うけれど、小木さんみたいに権力者でもなければ語り口もソフトな人を強く責め立てたら、責めてるほうが悪く見えてくるはず（なお、Clubhouse の動画を確認したらそんな強く責め立てているわけでもなかった）。

この件に関していうと、敵地に単身乗り込んで、譲歩するところは譲歩して、謝るところは謝りつつ自分の主張を貫いた小木さんと、発言の元になったラジオも聞かず、書き起こしだけを見て怒り、一切謝ることなく自分の主張だけをしていた一部フェミニストとでは、ギャラリーの見え方も違ってきて当然の話。ボクの持論、「ネット上で強めの主張をする場合は、せめてその発端となったもの（ラジオなり雑誌記事なり）を確認するべき」はやっぱり正しかったし、「論破ではなく判定勝ち」を狙う戦略が正解のはずなのである。

聞き出す力──其の五十

インタビューにおいては現場の空気感を再現するのも大事。空気感込みで読み手に伝えるべきなのだ！

ラジオにおける「笑い屋」の存在が苦手すぎて困っている。パーソナリティーのトークに対して、「あはははははは！」「あはははははは！」としつこいぐらいに被せてくるのが邪魔くさくてしょうがなくて、とにかく興醒め。番組の面白さを一〇とすると、それを六か七ぐらいに目減りさせられて話を聞く気もなくなり、ゲンナリするばかりなのだ。

いや、もちろん一人喋りのお笑いラジオに「笑い屋」が欠かせないってことはわかっているつもりだ。ツッコミ担当みたいな話し相手がいないと、どれだけキツめの冗談を言ってもそれを笑いのないガチの発言だと受け取られたりしちゃうから、あえて「笑い屋」のやりすぎなぐらいの笑い声を入れることによって、「これは冗談ですよ！　だから本気にしないで！」とリスナーに伝える必要があるわけで。それがわかってはいるから、せめてちゃんと面白いことを言ったタイミングで笑ってくれればいいんだけど、あまりにも無差別に、笑い袋みたいな声を入れると、それだけで一気に冷めてしまうのである。

これは、コラムなどでの文章表現としての「(笑)」に近いんだと思う。インタビュー原稿における、現場の空気感の再現としての「(笑)」は必要だけど、「これは冗談ですよ！」と表現するためのコラムの「(笑)」は寒くてしょうがないし、物書きなら自分なりのレトリックで「これは冗談ですよ！」感を出すべきであって、「(笑)」を使った時点で逆に一切笑えなくなるものなのである。

思えば昭和のTVバラエティの頃から、『ドリフ大爆笑』とかの「笑い屋」のおばさんの笑い声が苦手だった。『8時だョ！全員集合』は公開収録で観客（主に小学生）の生の笑い声が入っていたのが良かったし、ドリフへのカウンターである『オレたちひょうきん族』はスタッフの笑い声を入れることでリアルさを演出した。それと比べると、「笑い屋」は笑いを消す効果のほうがあったぐらいだし、大爆笑しているのは視聴者ではなくて「笑い屋」のおばさんだけだったのである。『ドリフ大爆笑』のテーマ曲「笑ってちょうだい今日もまた。誰にも遠慮はいりません」って、別に遠慮してるわけじゃないんだよ！

そういう意味では、元テレビ東京・佐久間宣行Pのように、自分で喋って自分で爆笑するスタイルは、一人喋りの完成形じゃないかとも思う。一人二役だから「笑い屋」のしつこさもなくなるし、ここが笑いどころだというポイントも絶対に間違えない。フロアディレクターとしてスタジオで芸人のトークに誰よりも大きな声で笑うことで番組をコントロールしてきた経験が、こんなところで活きるとは！

なお、インタビュー原稿で「(笑)」を使うのを嫌う人もたまにいて、ボクとの対談原稿で「(笑)」を全部カットされたことがあった。その人にとってはコラムで「(笑)」を使うのに通じる違和感があったってことなんだろうが、楽しげに話していたはずの会話が淡々としたやり取りに変換されていることに、ものすごい違和感があった。この場合、不自然なのは日常会話から笑いの要素を消し去ろうとする行為のほうで、インタビューの場合は現場の空気感を再現することのほうが重要であり、意図的に笑いゼロの冷たい会話にすることには何の意味もないはずなのである。

それを思うと、ラジオパーソナリティーの人たちが番組の書き起こしや、番組内容を引用しただけで一切追加取材のないネットニュースを嫌う意味もなんとなくわかってくる。

なぜなら、そこには「笑い屋」の声も再現されていなければ、イントネーションで「これは冗談ですよ」と伝えたり、笑いながら喋ってたりするようなニュアンスも消し去られて、ただ淡々とガチを仕掛けているかのように見えてしまうためだ。そんな記事だけを読んで怒る人も多いんだが、せめて番組の音声を radiko のタイムフリーなり動画なりでチェックしてから判断していただきたいものなのである。

聞き出す力――其の五十一

編集次第で取材対象を善人にも極悪人にもできる、インタビューとは恐ろしいツールなのだ！

小山田圭吾が学生時代、同じ学校にいた障害者をいじめていたとインタビューで自慢げに話していたとして、オリンピック開会式の直前になってクリエイティブチーム辞任へと追い込まれた。全ては彼のいじめっぷりが、どれだけ非人間的で異常者だったのかが世間に拡散されまくったためなんだが、ボクは比較的早い段階で、「小山田圭吾騒動、思い込みで怒ってる人も思い込みで擁護してる人も多いので、もっとちゃんと調べて、できれば原文を確認してから強めの主張をして欲しいなと思う」とツイートしていたものだ。

実はこの件が拡散されるきっかけになったブログは、意図的に彼の人間的な部分をカットして、彼がより異常者に見えるようなアレンジを加えていたものだった。彼が積極的にノリノリで障害者いじめについて話しているのかと思ったら、実は取材には全然乗り気じゃなかったり（そもそも問題になった『クイック・ジャパン』はインタビューじゃなくて打ち合わせの模様をそのまま載せたものだった）、空気の読めない奴がエゲツないいじめをする様にドン引きしていたり、それなりにいじめられていた側と交流していたり、そういう要素をゴッソリ消し去ったブログが拡散されていたわけなのだ。そして、一部のマスコミはおそらくそのブログだけをネタ元にして小山田圭吾批判をやっていたと考えられる、と。

ボクは常々「ネット上には存在しない情報も多いから、紙の一次資料に当たることが重要」と言っているので、それをしないメディアは正直どうかと思う。そして、二〇年間静かにネットで燃え続けていたこの話題をここまでにしたブログ主の執念も相当だと思う。

そんな小山田圭吾告発ブログのアレンジぶりについて、取材に同席していた『クイック・ジャパン』の編集者が指摘した途端、「小山田さん、本当は優しい人だったんですね！」とか言い出す人が増えたことにもビックリした。報道されているよりはマシだったとはいえ、言うまでもなく彼がやったことはアウトなのである。

ただ、本人も謝罪文で「発売前の原稿確認ができなかったこともあり、事実と異なる内容も多く記載されております」と書いていたように、おそらくは当時イキって盛って喋った部分も多かったんだとは思う。皮肉と悪意を撒き散らす二人組・フリッパーズ・ギター分裂後、すっかり王子様的なキャラになっていた小沢健二に対抗するかのように、小山田圭吾はジャケにデビルマンを使ったりと悪魔っぷりをアピールしつつ、当時サブカルの世界で流行っていた悪趣味・鬼畜文化のノリを出し始めた。ワルぶるにしても喧嘩自慢じゃなくて、万引きといじめ自慢（しかも自分はアイディア担当）という間抜けさがいいと思ったんだろうが、そんなの笑えるわけないよ！　それでも、その気持ちは理解できるから、彼が特殊な異常者扱いされているとき、ボクが Twitter でその時代背景を説明する側に回ったのはそういうことだったのだ。

結局、インタビューは編集次第で、取材対象を善人にも極悪人にも作り変えることができる恐ろしいツールなのである。出てきた話は何でも平気で載せているように見えるボクでさえ、実は「これを載せたら得しないだろうな」ってエピソードに関してはあらかじめカットしておくことも少なくない。そして、「そういうお前も戦慄かなののインタビューで犯罪自慢を笑いながら聞いてただろ！」とか言ってくる人もいたんだが、それについては彼女をゲストに招いたＳＨＯＷＲＯＯＭ配信時にコメント欄で怒っていた人に対して、「大丈夫、この後ちゃんと罰が当たるから！」と返していたことからもわかるように、少年院に送られて更生するという流れがあれば全然アリだとボクは思っている。そういうことを全部隠して活動して後からバレるほうがダメージはデカいし、やっちゃったことはしょうがない。あとは、ちゃんと罰も受けた上で人間が変わったことを地道にアピールしていくしかないのである。

聞き出す力——其の五十二

インタビューはただ話を聞くだけでなく、相手を取り巻く文化をも客観的に検証できるのだ！

明確な最終回がある漫画とかとは違って、ボクのインタビュー連載は何を最終回にすればいいのかが正直まだよくわかってない。

つまり、短期連載の漫画だったら最終回までを一冊分の単行本にまとめたら連載が綺麗に終わるわけだが、ボクのインタビュー連載は雑誌が休刊になった時点で終わりとか、単行本になった後も連載は続いたけど後半は単行本にならないままひっそり終わりとか、どうしてもボンヤリとした最終回を迎えがち。

最近、完全にどうかしていたぐらいに狂っていた二〇年ぐらい前のモーニング娘。ファンの方々が当時を振り返るインタビュー連載『証言モーヲタ』を単行本化（白夜書房、二

○二一年）したときは、最終回っぽいライムスター宇多丸による総括インタビューは単行本用のボーナストラックとなり、連載は単行本発売後もなぜか継続中。
この手の企画だと取材すべき相手はいくらでも出てくるので、出版社の都合で単行本発売のタイミングを決められたものの、単行本が想像以上に好評なこともあって、宣伝代わりに連載を続けてみるという珍しいパターンになったわけなのだ。これがある程度続いたら、紙の本で続きを出すほどのボリュームはないだろうから、単行本購入者向けの副読本的な感じでまとめて電子書籍化すればいいんじゃないかとボクは勝手に思っている。

周囲の誰もがモーニング娘。でおかしくなっていたあの頃、ボクは一定の距離を保ちながら、彼らの狂いっぷりを観察していた。おかげで周辺人物の名前や出来事を把握した上で、客観的に当時を振り返ることができる数少ない存在になれたってわけなんだが、いままでのインタビュー連載では自分が子供の頃に好きだった文化とかを検証するようなものが多かったのに、年齢を重ねたことでいよいよ自分が当事者に近い存在として大人になってから体験した過去を振り返るようになってきたってことなのだろう。

なので、次の連載ではさらに一歩踏み込んで、悪趣味〜鬼畜文化も含めた九〇年代サブカルチャー検証のインタビュー連載をやってみようかと構想中。モーヲタ文化よりも当事者に近くて、関係する雑誌では大体原稿も書いてきたし、登場人物もほぼ知り合い。「悪趣味ブームなんて存在しない！　捏造するな！」とか言い出す人が出てきたり、悪趣味〜鬼畜ブームの影響下にあった小山田圭吾の発言が大問題になったりしたいま、関係者がちゃんと検証すべき題材のはずなのである。

なお、できればその企画で取材したいと思っている『クイック・ジャパン』創刊編集長・赤田祐一のインタビューが『中央公論』二〇二一年一一月号に掲載されていた。九〇年代文化特集なので、小山田圭吾のいじめ告白インタビューを掲載して、二六年後に大変な騒ぎになった責任者として、ちゃんとコメントすることにしたんだ……と思ったら、インタビュアーがその件について一切質問してないからビックリ。しかも、「〝鬼畜文化〟と称される露悪的な感覚って好きではなかったし、自分は関係ないですね」とか、「（雑誌の評判をチェックするのは）以前は見ていたけど、今はほぼしないですね。（略）あまりエゴサーチなどすると、メンタルがおかしくなる気がする。特に『クイック・ジャパン』に載った小山田圭吾さんの古い記事について、自分を含めて色々と書かれてから、ツイッターはさらに見なくなりました」とか、そんなことばかり言ってるインタビューだったのだ！

　もちろん「元のソース、書かれた本や雑誌などの現物を読まないで、誰かが書いたことに意見を付け加えたりして事実化するようなことは気持ちが悪いですね」と言う気持ちはわかるけど、当時の『クイック・ジャパン』を読んできた人間として言わせてもらうと、当時の『クイック・ジャパン』は明らかに悪趣味〜鬼畜ブームの影響下にあったし、この発言はあまりにも他人事すぎるし、被害者アピールがすぎる……とか書いているとインタビュー受けてもらえなくなるかもなー。

聞き出す力――其の五十三

インタビューにおける原稿チェックは大事。原稿を仕上げた後にも重要な仕事はあるのだ！

小山田圭吾騒動をきっかけにして、インタビューと原稿チェックが話題になっている。本人がどこまで盛って話したのか、雑誌サイドがどこまで正確に発言を再現したのか、実際にいじめをしたのはどこまでなのか。小山田圭吾はいじめに関しては加害者だとしても報道被害を受けた側でもあるので、その辺りをハッキリしていかなきゃいけないと思うんだが、なぜか当時取材した側はその辺りについてはちゃんとコメントしてくれないし、そもそも書き手や取材を受けてくれた相手を守るのも編集者の仕事だったはずなのである。

ボクがＴＢＳラジオの『ストリーム』という番組のレギュラーだったとき、創価学会芸能人特集をやりたいと言ってもジャニーズ事務所の暴露本を紹介したいと言ってもスタッフは一切止めなかったし、それで抗議がきてもボクに対応させることもなく、スタッフが全て対処していた。雑誌の編集者も本来そういうものだとボクは教わってきたのだ。それなのに取材相手を守ることなく、そもそも原稿チェックすらさせないのはどうかと思う。

ボクが出版の世界に入ってきた九〇年代初頭は、すでに原稿チェックが当たり前の時代だった。しかし、小山田圭吾騒動の発端となった九四年のインタビューは『ロッキング・オン・ジャパン』という原稿チェックの存在しない特殊な媒体のものであり、その釈明も兼ねた九五年の『クイック・ジャパン』三号での取材記事も「おそらく原稿チェックはあったと思う」と当時の編集者は曖昧な証言をしていた。

しかし、『クイック・ジャパン』四号を最近読み直してみたら、「『ロックと涅槃』河口純之助インタビューは、なぜ掲載許可がおりなかったか」（赤田祐一）という記事を発見。それは「今年八月、突然解散した人気ロックバンド〝ザ・ブルーハーツ〟のメンバー・河口純之助氏（ベーシスト）のロング・インタビュー〝ロックと涅槃──宗教は僕にとって最新型のロック&ロールだ〟（予定タイトル）掲載を予定していました。しかし、仕上がった原稿の内容が河口氏の合意を得ることができず、残念ながら〝掲載中止〟という結論に達してしまいました」とのことで、事態の顛末を説明する記事だった。これは、もともと『ロッキング・オン・ジャパン』のブルーハーツ解散インタビューで、「ブルーハーツでの一〇年間は河ちゃんにとって個人としてどういう変化があった一〇年間だったの?」と聞かれて、「一番の変化っていうのはやっぱり幸福の科学の主宰・大川隆法先生に巡り逢えたっていうことかなあ」と答えていたのをきっかけに企画したページだったようだ。

そして取材後、「河口氏が『出来たら、原稿を見せてもらえませんか』と言うので了承し」「リードに当たる部分も含め、そのまま河口氏の元に速達で送り、朱《あか》を入れてもらった原稿を『二日で見てもらえますか』と、速達で小社に送り返してもらいました。その時は、問題なく、掲載出来ると思っていたのです。幾つかの細かい確認事項は、僕が河口氏と直接電話でやり取りし、掲載OKをもらったのです。それが、突然ひっくり返りました」「次の日朝一番に会社に来たところ、机の上にあるはずの原稿が無くなっていたのです!」と書いているんだが、つまり当時は本人が言い出さない限り、原稿は見せないルールだったっぽいことが判明したのである。

なお、幸福の科学の信者になった河口純之助は、涅槃についてたっぷり語れると思って資料もたっぷり持参して取材を受けたら、ブルーハーツというすでに終わったバンドの話を中心にされたのが納得いかず、自ら編集部に乗り込んで原稿を奪ってきたということだったらしい。思えば、『ロッキング・オン・ジャパン』をきっかけにして『ＱＪ』が動いたという経緯こそ同じでも、納得のいかない原稿を自力で奪い返す人もいれば、当初の企画が流れても、いじめをテーマにしたなんのメリットもない企画に誠実に対応する人もいて、それで小山田圭吾は結果的に痛い目に遭ったってわけなのである。

第3章

「読む・知る」極意

聞き出す力――其の五十四

危ない話は面白い。変に忖度せずにできるだけ文章に残す覚悟と矜持を持つべし！

いまではすっかり世間から忘れられつつあるが、どうしても忘れられないのが中田カウス襲撃事件＆脅迫状事件である。二〇〇九年一月九日、大阪市中央区堺筋で、カウスを助手席に乗せたベンツを、黒のタオルで顔を隠してフルフェイスのヘルメットをかぶった男が襲撃！　助手席の窓ガラスをガラスクラッシャー付きの金属バットで叩き割られ、頭部をバットで攻撃されたカウスは、無我夢中でバットを奪い取る！　すると犯人は用意していたバイクで逃走！　金属バットで襲撃してきた暴漢を返り討ちにするカウス恐るべし！

その後、カウスに「お前を舞台に立てぬ様にしてやる」という脅迫状が送り付けられると、その容疑者としてコメディNo.1前田五郎の名前が浮上。大阪府警から任意の事情聴取を受け、一貫して否認したものの吉本興業に契約解除されてしまうんだが、ボクはそんな前田五郎の話を大阪まで行って聞いてきたのだ。

前田五郎は現在七六歳。この年齢にしては異常に元気で、「僕は吉本興業をえん罪のために無理やりクビになったようなもんやからな。なんでも話しますよ!」と、本当に活字化困難なことばかり喋り続けた。前田五郎によると、もともとカウスとは家に居候させるぐらい仲が良かったけれど、カウスが「これ(頬に傷のジェスチャー)とつき合いだしてから僕が引くようになって」、「カウスちょっとこっち来い」「ヤクザ自慢は自慢と違うで、恥だと思えよ」と説教。そんなことばかり言ってくる前田五郎と顔を合わせば逃げようとするカウスを「おいヤクザ! 逃げんのか!」と怒鳴っていたから、「それが嫌で前田五郎を辞めさそうってことになったんやろうね」とのこと。

島田紳助が黒い交際で引退したのも、「あれは紳助やなくてほんまはカウスが行くとこやったの。カウスが行ったら全部バレる、(吉本の)重役連中一〇人ぐらいが全部いかれるから紳助に言い含めて、うしろで紳助はだいぶもらってる」し、襲撃事件も脅迫状事件もカウスの自作自演だと前田五郎は主張するのだ。

襲撃事件は「僕、現場に行ったことあんねん。黒門市場の横で襲われたの。その近所の店、全部知ってる店。麻雀屋とかずっと知ってる店ばっかりやねん。そこで『この日、こんなことあった?』って聞いてみると、『なんにもないで』って。『ふつう、警察官が聞きに来たり何かあるやろ』『いや、そんなのもなかった』と。だから、やらせやって噂があるわけ」と自分で聞き込みもするし、脅迫状についても自ら神戸大学の魚住和晃教授という筆跡鑑定の第一人者に依頼。「これは別人」と証言してもらえたものの警察は一切動かなかったため、やむなく彼はこんな行動に出たわけである……。

「えん罪(脅迫状事件)に関わって二年目ぐらいのときかな、カウスが黒門市場ってところによう行きよるって聞いたんで、ちょっと探したるわと思ってね。脚にガムテープでアイスピックを留めて、一週間ずっと毎日歩き回ったの。それでも会えへんかった。そやから一週間おいてまた一週間、だいぶ行ったたな。いま考えたら会えんでよかったかな、会ってたら絶対アイスピックでいってるもん」

なお、前田五郎は洒落にならないレベルのキツいイタズラ好きとしても有名で、朝日放送のアナウンサーに「何々組のもんやけども、ウチの若い衆の女に手を出してくれたらしいな」とヤクザを名乗って電話したら本気にされて、「マジで社長に相談しはったの。それこそ、金はどれくらい用意したらいいかとか」という事態に発展！　「僕はそれ、正体を明かしてないの、シャレにならんから」という対応をしていた人だから、芸人仲間も脅迫状の犯人は前田五郎だと疑ったわけなんだろうが、「さすがに僕もカウスには脅迫文は書きませんわ。もし書くんやったら……書くことはないけど、あんな下っ端の漫才師に書かないでもっと上いきますよ！」とのことでした！

聞き出す力――其の五十五

好き勝手やっても許された時代に生きた人々のデタラメな武勇伝を語り継ぐのも大事な仕事！

メタルゴッド・伊藤政則と、メタルの話を一切しないトークイベントをやってきた。ボクが勝手に設定したテーマは伊藤政則と芸能界との接点。七〇年代のロック喫茶でのサンズ野田義治社長との交流や、八〇年代になぜか秋元康に推されてテレビやラジオでおニャン子クラブと絡んでいた話とかを掘り下げたら、なぜか意外にもラジオ日本の話で盛り上がったのだ。

「ボクが出入りしていた数年前の時点で、演歌の老人とアイドルぐらいしか出入りしてない放送局なのに、トイレが和式だったのが衝撃的で」（吉田）、「それどころか和室に座布団のスタジオもあるんだよ！」（伊藤）、「ラジオ日本って一時期、右翼の人が社長をやってたんですよね。だから演歌の番組ばかりになっちゃって」（吉田）、「そう！　そのせいでロックの番組は潰せってことで俺の番組がなくなっちゃったんだよ！」（伊藤）、「ああ、敵性音楽だからってことで（笑）」（吉田）

この「右翼の社長」＝遠山景久という人物がちょっと調べるだけでも最高で、遠山の金さんの末裔で、元愚連隊で小指がなかった説もあるような、明らかにヤバいタイプ。こんな人物を社長にした結果、ウィキペディアによると「左派系マスコミの糾弾キャンペーンを展開し始めた遠山は、ロックやアイドルタレントを番組から排除するといいはじめ、反共・タカ派的な報道・論説番組を中心として、一日中、演歌やジャズを流す編成に変貌」。会長職になっても無茶を繰り返し、当て逃げ事故を起こしたら身代わりに秘書を出頭させたり、一九八九年には、夜九時以降に残っていた若者向け番組を一掃。「一九九一年（平成三年）には一度スポンサーと契約した声優のラジオ番組（「林原めぐみの Heartful Station」など）を突如放送しないなどといった行為まで発生し、その結果、聴取率は年を追うごとに低下し、売上げは激減」。「その後も遠山の強引な経営は続き、アナウンサーをキーパンチャーに転属させ訴訟となったり、管理職の研修を自衛隊で行うなど、労使関係は険悪な状況となり退職者が相次ぎ（アナウンサーとして同局に在籍していた山本剛士のように、他局に移籍したケースもある）、最盛期には一五〇名以上いた社員が三六名」となり、「ワンマン体制に堪えられなくなった社員は、一九九三年（平成五年）一二月二一日、駒村社長以下取締役会全会一致で『公共の電波を預かる放送会社の代表としてはふさわしくない』として遠山を解任」。「一九九四年（平成六年）二月には、アール・エフ・ラジオ日本から『不当な事業で会社に与えた損害の返済』を要求され、自宅を差し押さえられた」わけである！　ウィキペディアを見るだけでもこんなに楽しめるラジオ局は、ちょっとないよ！

そんなラジオ日本の帝王として永年君臨していたのが保守系の政治家と仲が良くてジャズも歌えるミッキー安川なのは、すごい納得できる話。ボクがミッキー安川の番組のゲストとして呼ばれたときも、その日はすごい暴風雨だったから生放送の途中でブースの中に局の人が入ってきて緊急防災情報を伝えたら、なぜかミッキー安川が「おい、俺の番組で勝手なことをするな！　天気なんかどうだっていいんだ！」と激怒！　ミッキー安川は明らかにアウトな発言も連発していたけれど、自分でスポンサーを連れてきているから、リスナーがいくら電話で抗議したところでダメージ皆無で、そのうち抗議する側が諦めるという話にも爆笑！

遠山体制が終わった後もラジオ日本はデタラメであり続けたんだが、それはミッキー安川がデタラメだという話でもあった。とある雑誌から「創刊記念で大物にグラビアページをプロデュースしてもらおうと考えたけど、角川春樹に断られたから、誰か紹介してほしい」とボクが頼まれたとき、迷わずミッキー安川を紹介。その結果、尾崎ナナのグラビアをミッキー安川がプロデュースしたんだが、テーマはなんと「レイプ」！　当時、スタッフにしていた淡谷のり子のマネージャーだった白髪の老人と「だって俺たちが若い頃、セックスといえばレイプだったんだよ！　なあ？」「そうだそうだ」と老人二人で話していて、この世代のデタラメさにボクらが絶対に勝てるわけがないと痛感したのであった。もちろん完全にアウトです！

プロフェッショナルを貫き通す人物から、思わぬ人間味を引き出す瞬間が至福なのだ！

ボクは同業者から仕事上でのアドバイスを求められると、「どうしても『このギャラだとこれぐらいの時間、これぐらいの経費しか掛けられない』って発想が出てくるものだけど、そんなコスト意識を超えて時間やお金を掛けないとライバルには勝てない」的なことを言うんだが、NGT48の荻野由佳はボクと同じような発想の持ち主だった。

「握手会とか、たった数秒話すのに言っちゃえば一〇〇〇円かかるわけじゃないですか。劇場公演にしろ一回三〇〇〇円かかるわけですよ、二時間観るのに。で、なんならその交通費？　遠くから来てくれる方もいるので、それを考えたらやっぱり今までやってた公演の私のパフォーマンスとその金額は伴ってないな、三〇〇〇円損しかさせてないなって気づいて、そこからいろんな研究をしはじめるようになってスタジオを自分で借りて練習しに行ったりとか」

アイドルをやる側なら「これしかギャラをもらえないなら、これぐらいでいいだろう」的な方向のコスト意識になりそうなのに、観客側のコスト意識を考える姿勢がさすが！

ただ、こういう観客側の視点を持った人だと、それこそＡＫＢ48選抜総選挙なんかやっててしんどいに決まっているわけなのだ。

「だからマジでつらかったです。いったい私にどれくらい投票してくれたんだって思ったら、もういても立ってもいられなくなっちゃって。だからそう、二回目の総選挙で初めて速報一位になった日は、もう今までで一番悩みましたよ。やっぱり周りからの『誰だコイツ。荻野由佳なんて誰だか知らない！』とか『ＡＫＢ48の総選挙を壊した！』みたいないろんな言葉がくるわけですよ。そういった言葉とか経済的な面とか考えたら一気にバーッと来て。そのころはまだメンタルがめちゃめちゃ弱かったので、『あ、もう卒業しよう』と思って。いっそのこと私がいないほうがファンの人もお金も使わないでいいし、やっぱりＡＫＢ48の総選挙的にも私がいないほうが良かったんだ、私が壊したんだと思って、最初は実際に支配人に相談するぐらいでした」

真面目すぎるよ！　同じNGTの中井りかとは正反対！　ただし、AKBはルールをキチンと守り通してきた渡辺麻友にスキャンダルを起こした指原莉乃が勝っちゃう世界であり、秋元康は中井りかも含めて大人がコントロールできないような厄介な子が大好きなわけで、それを真面目にやってる側はどういうふうに見てるんですか？　とボクが聞いた瞬間、それまで優等生的な発言を繰り返していた彼女が初めて素の感情を出したのである。

「もうねえ……ふざけんな！って。これ絶対に書けないけど……」と、秋元康に対する複雑な感情をブチ撒ける彼女（もちろん、かなりソフトな内容）。そこで「なぜかボクも最近になって秋元さんに推されはじめたみたいなんですけど……。神宮球場で始球式もやらされたんですよ」とボクが言うと、「……え？　ヤバいよ。中井りかより押されてる（笑）。なんでそんなことに？」と質問され、説明したら彼女の表情が変わって「……え？　待って！　ちょっと待って！　お名前を教えてください」と一言。ボクが「吉田豪と申します」と言った瞬間、「あ――――っ！！」と叫びながら立ち上がり、うろつき周り、そして近くのソファーに倒れ込みながら「ちょっと待って！　ものすごい人じゃん！　ずっと思ってたんですよ。めっちゃ見た顔だなって（笑）」と最高のリアクションを見せたから爆笑。なお、この直後、「ヤバイ！　吉田豪さんって知らずにあんなこと話しちゃった！　最悪ほんとに（笑）」と、わかりやすく取り乱してたのも最高だったし、こんな感じで自分の感情も完璧にコントロールしようとするプロフェッショナルなアイドルから、予期せず人間味が出ちゃう瞬間がボクは大好きなのである。

聞き出す力――其の五十七

危ない話を記事にする場合、なんとかなるかならないかを理解した上で戦うべし！

エゴサをしていたら「最近の吉田豪はアイドル相手の生ぬるいインタビューしかやっていない」的なことを言っている人を発見。そういう人にこそオススメしたいのが、ボクの『実話BUNKA超タブー』（コアマガジン）の連載である。二号前は元コメディNo.1前田五郎が吉本興業&中田カウスに喧嘩を売りまくるインタビュー（アイスピックを隠し持って中田カウスを刺すつもりで探し回ったエピソードに戦慄）であり、前号は伝説のスカウトマン・上条英男がヤクザに斬られた傷跡を見せながら「俺の勘違いで周防郁雄さんとぶっ飛ばし合いになった」とか物騒な話ばかりするインタビュー。そして最新号ではコーラス界のマフィアと一部で呼ばれている敏いとうをインタビュー。イタリア系マフィアとの密接すぎる交際でも知られるフランク・シナトラのボディガードをハッピー&ブルー結成前にやっていて、極真空手五段で、ジョー山中や内田裕也や渡哲也もぶっ飛ばしたとか、下調べするだけでもとんでもないエピソードが続出するぐらいだし、ピーク時は体重一一〇キロの屈強な肉体を見るだけで確実に強かったことがわかるし、人脈もとんでもないしで、取材が楽しみでしょうがない！

……と思ったら、現在七八歳の敏いとうは脳梗塞などの大病を経て激痩せし、杖が欠かせなくなっていた。言葉もあまり出なくなり記憶も曖昧になっている敏さんのサポート担当で同行した奥さんも杖をついていて、しかしそんな状態なのに出てくる話題だけはとんでもなく物騒という、なんとも不思議な記事になった。

青山学院大学時代には渡哲也さんが空手部にいて、渡哲也&渡瀬恒彦兄弟は芸能界最強説もある、みたいな話を振ると、「……そんなことないですよ（あっさりと）。そんなの、やってみなきゃわかんない」「口ばっかりだから」と言い放ち、「あんまりそういうこと言わないの！」と奥さんにたしなめられたかと思えば、「……渡をぶっ飛ばしたことはない」「……裕也はシメたことはない」と言ってたりで、ちょっと過去の資料とは話が違う。かと思えば、奥さんがこんなことを言い出すのであった。

「あの頃、『あいつ連れてこい』とかよくやってたじゃん。メンバーが連れてくるんですよ。そしたら、みんなブルブルになって来てたじゃん。●●●とかさ。競艇場で帽子被ったまま『オッス』みたいな感じで挨拶したら怒っちゃって」

　この●●●というのは本人も腕っ節が強いことで有名で、所属事務所もやっぱり敵に回しちゃいけない系の有名人で、そんな人の実名を出して「メンバーが体さらってきたじゃない」と、温和そうな奥さんが言うわけである。つまり、ハッピー&ブルーのメンバーが腕っ節の強い某歌手を連行！　さらに一九八五年にフランク・シナトラが来日したときには、敏いとうとハッピー&ブルーのメンバーでボディガードをやっていたりと、もはや全然ハッピーじゃないよ！

　清水健太郎が芸能界入りするきっかけを作ったのも敏いとうらしいんだが、あるルートで聞いたエピソードもすごかった。清水健太郎が初期にスキャンダルを起こして記者が取材に行くと、なぜか清水健太郎が椅子に縛り付けられていて、それを敏いとうがベルトでしばき倒し、「……すいません、これで勘弁してやって下さい！」と言ったら記事にならなくて済んだとか……。都市伝説かもしれないけど異常なリアリティなのである！

なお、女性遍歴については一九九〇年ぐらいの段階で「五〇〇〇人斬り」と言ってたかと思えば、次は一三〇〇人斬りに減っていて、「……そのときによって違うから。それは言うだけだから。おもしろく言わなきゃしょうがないから」と言いつつ、一三人相手に一四Pをやったことについては「……ああ、それはヤッたな」と、あっさり肯定。当時、女性関係で一緒に遊んでいたのが某有名人（後に政治家）だった話を振ると、「……あいつはセックスヘタだもん」と言い出したりで、そんなインタビューの直しが一切なかったことも笑ったんだが、担当編集に「某有名人はセックスが下手発言ですが、京都のホテルで男二人女三人でやったときにそう思ったそうです」と補足されたエピソードも最高なのであった。

デタラメに思えるような危険な人物の経歴を深掘りすると、魅力的なエピソードが大量に出てくるものなのだ！

ハロウィンの「お菓子くれなきゃいたずらするぞ！」って言い草、あれは子供がやってることだから許されてるけど、完全に総会屋系ジャーナリズムのやり口だとボクは思う。要は『漫画ゴラク』的に表現すれば、『白竜』（に出てきそうな男）が「多額の広告費をくれなきゃ俺の雑誌でお前のスキャンダルを暴くぞ！」と脅迫しているようなもの！　この場合のお菓子とは、賭けゴルフでいうところのチョコレートみたいな隠語じゃないかって気もしてくるというか。

なんでこんなことを突然言い出したのかというと、小川薫といういまは亡き大物総会屋のことが最近気になっているためだ。総会屋を主役にした松方弘樹主演の一九七五年公開の東映映画『暴力金脈』（監督／中島貞夫、脚本／野上龍雄＆笠原和夫）のモデルでもあった小川は一九三七年、広島生まれ。野球賭博で店を失った父親の血を受け継いだのか、高校～大学と野球部で活躍しつつも、野球賭博にハマって大学を中退。その後もイカサマがバレて九州へ逃亡したり、ギャンブルで店の金を使い込んで夜逃げしたりを経て、総会屋となり大成功を収める。そして、資金難に苦しんでいた芸能事務所T＆Cのオーナーとなり、ピンク・レディーをデビューさせる。そう、ピンク・レディー売り出しに使われた一億円以上の資金は総会屋マネーだったわけなのだ！

小川薫の自伝『実録総会屋』（ぴいぷる社、二〇〇三年）によると、もともとデビューシングルの「『ペッパー警部』はB面に入れることになっていた。それを私が『こっちの方をA面にしろ』と言って強引に変えさせた」りと、ブレイクしたのには彼の功績も絶大だった。しかし、「子供や若者のアイドル・ピンク・レディーが総会屋なんかと関係があってはまずい、バックにヤクザのいる武闘派総会屋の資金源になっているのは、けしからん」とのことで警察やマスコミのターゲットとなり、T＆Cと決裂する。

この辺りの流れを、小川薫をモデルにしながらも登場人物の名前を微妙に変えた大下英治『最後の総会屋』（桃園書房、一九九三年）で読むと、さらに面白かった。銀座の会員制クラブのステージで「ホップス警部　じゃまをしちゃいやよ　ホップス警部　わたしたち感じているのにとめないで」と歌うフラワーレディの二人のミニスカート部分を凝視する、総会屋・小原薫。「むっちりとした栄子のふとももの奥に、真っ白のパンティが妖《あや》しくのぞく。パンティに秘められたういういしい花のかぐわしい匂《にお》いが、ただよってきそうだ。『なんだ、このけったいな曲は。管、こんな曲が売れるんかい、おぉ?』。薫は、ホステスをひとりはさんで左側に座った管文夫（所属事務所C&L社長）に話しかけた。薫の眼は、管に話しかけながらも、フラワーレディーのふたりの下半身から離れなかった。〈体は、若いだけあって、すばらしいのぉ。ふとももを指先でつついたら、こっちの指がはじかれそうな感じの肌じゃ。ほいじゃが、それにしてもなんちゅうけったいな曲かいの〉」

そんな感じだったのに、阿久悠の意向も無視して小川薫は『ペッパー警部』をA面にゴリ押ししたらしいのである。広島カープ専門誌『カープファン』を発行していたり、元プロレスラーのユセフ・トルコが一時期ボディガードをやっていたり、敏いとうを可愛がっていたり、人脈もいちいち興味深すぎる!

なお、伝説のマネージャー・上条英男インタビューでピンク・レディーの仕掛け人・相馬一比古の話題が出た際、「ピンク・レディーの資金源が総会屋だったたってエピソードもすごいですけどね」とボクが言ったら、「それも俺が紹介したの。小川薫さん」「当時の金で六五〇〇万、それも段ボールに金を入れて手押し車で『上条、これで女の子ふたりを面倒見てくれないか』『いや、総会屋と俺が仕事するわけないじゃない』って。その六五〇〇万を受け取ったのが相馬」とのことで、どんどんピンク・レディー幻想が深まるばかりなのであった。

時代の空気を感じ取るのもインタビュアーにとっては大事。ギリギリを攻めつつ、誰が読んでも楽しいものにすべし！

最近、『SPA！』が「ヤレる女子大学生RANKING」企画で大炎上していたが、二〇一一年の『SPA！』に掲載された小林旭インタビューは問題にならなかったんだろうか？

ボクが聞き手を担当したこの記事は、よりによって表紙&付録ポスターが『けいおん！』という平和そうな号に、「オレがヤクザとゴルフしたからって、誰が困るってんだよ」という物騒なタイトルが一ページ、ドーンと掲載されるという完全な異常事態！　これがそのまま車内吊り広告にもなり、あの井上公造が「ああいうインタビューをできるのがうらやましい」と言っていたぐらい、当時でも考えられない内容になっていたのだ。もちろんこれは暴力団排除条例施行後の話である。いちいちありえない！

当時、小林旭は七二歳。二〇〇八年、後藤組・後藤忠政組長のゴルフコンペに参加したことで世間に叩かれ、ＮＨＫがしばらく番組への出演を見合わせることになったり、コンサートのスポンサーが降りたりで六億円近い損失を負った件について、「俺自身に関してはダメージは受けてないよ。ダメージなんか受けるもんか、そんなもん！」と力強く言い切っていた。「ただ、正直に弁解をさせる場を持たないということが、とても一方通行で嫌な社会だなと思う。愚かだなっていうね。もっと失礼かなと思うことは、これは書いても書かなくてもいいけど、彼ら（ヤクザ）を人間として扱ってないってことだよ」というのも非常に真っ当な意見だと思う。ただ、それに続いて「たとえ暴力団だとか言ったって、何百人何千人って集めて、ひとつの組織をつくるだけの力がある人っていったら、大概の会社じゃ素晴らしい人だよな。人間の徳がある。そのこと自体を認めてあげないと」と言っている辺りから微妙に雲行きがおかしくなってくる。

そして、「小沢一郎にしろ田中角栄にしろ俺にしろ、誰にも迷惑かけてないのにマスコミは叩きすぎ」という話から、「後藤の親分なんかと一緒にゴルフやって何がいけなかったの？　誰が迷惑したの？　ただゴルフしただけだよ。親分がゴルフ主催して、そこに俺も一緒にいて、和気あいあいと仲よくゴルフして、ケラケラ笑って遊んでただけで、何もそのゴルフ場で刃傷沙汰が起きたわけでもなきゃ、なんでもないよ。何がいけないの？　そういうことがすべからくおかしいよ」というタイトルにもなった発言が飛び出し、「世の中がコンプライアンスうんぬんって言いだしてから、面倒くさくなってきてるなと思いますよね」というボクの発言に「何がコンプラだって！」と吠えるわけなのだ！

やっぱり短期間とはいえ、あの美空ひばりと結婚していた男はレベルが違う。当時の美空ひばりの親族になるというのは、あの田岡一雄と家族同然になるということであって、「山口組の田岡（一雄）さんも、最初のときなんかは『おまえは素人なんだから、金バッヂやるわけにいかない』。だけど叔父、甥の契りをしたら、『俺は親分じゃない、叔父さんだから。おまえ、これくっつけてろ』ってカフスくれたの。山口組のカフス。それをしてて、あの年齢の頃にはこう見せてたよ。銀座なんかで、ワイシャツの袖わざわざ見せてさ（笑）」と楽しげに語る小林旭の無邪気さがたまらない。だけど現代の基準ではアウト！

そう。銃刀法違反で逮捕されたけど当時の映画の撮影では本物の拳銃を使うのが当たり前だったとか、当時はヤクザ映画に出るときはモデルとなったヤクザと交流してリアルな役作りをするのが当たり前だったとか、そういう「いまはアウト」な話しか出てこないインタビューだったから、もっと叩かれてもおかしくなかったのに、あまりにあっけらかんとしているから、みんな笑って終わりだった印象。

最後は「こんな堅苦しい時代になったのはメディアがいけない」的な話から、「ボクなりに頑張ります」「うん、頑張りなさい」というやり取りで終わるのも平和だったのである。

聞き出す力――其の六十

インタビューにおいて下調べをすべく文献にあたっても、それが全て事実だとは限らないことを念頭に置くべし！

本に書かれた情報と実際に聞いた話にズレがあることは意外と多い。たとえば乙葉の著書『乙葉本』（アスペクト、二〇〇二年）には、彼女がスカウトされた経緯がこう書いてある。

「東京に来てからそれまでの間に、何度もスカウトの人に声はかけられていたんです。でも、いつも、『すみませんっ！』って謝ると、途端に早歩きしたり走ったりして逃げていたんです。顔をうつむけて髪で顔が隠れるようにして。ところが初めてだったんです。あんなにしつこい人が……。その日も声をかけられるとすぐに逃げたんですけど、その人、追いすがってくるんです。（略）怖くなって、友達と待ち合わせている場所まで一目散《いちもくさん》に逃げました。（略）でも、その人ホントに汗だくで、なにか見ているうちに、〝この人、人生苦労してるのかな……〟そんな風に思えてきて、話だけはちゃんと聞いてあげようかなという気持ちになってしまったんですよね」

こうして同情心でつい話を聞いた結果、彼女はグラビアアイドルとなったわけなのだ。

「でも、その日すぐに決めたわけではないんです。携帯の電話番号を教えただけ。（略）ところがそれから毎日毎日電話がかかってきて（略）。それでついに事務所に話を聞きにいくことになってしまったんです」

しかし最近、ボクが雑誌『ＢＲＯＤＹ』でインタビューしたら、こう答えていたのだ。

「（スカウトは）悩む暇を与えないっていううまいやり方で（笑）」「当時は原宿（ラフォーレ原宿の前）に会社があって」「なのでラフォーレ原宿の前でスカウトされて、その流れで」「そのまま行って、そしたら『あ、写真集を出そう！』とか言われて」「正直、あのときの自分はしっかりしてなかった」「ホントにしっかりしてたらそこで『一回持ち帰らせてください』とか言うと思うんですけど、写真集が決まっちゃったって言ってるから、断ったらこれ自分が詐欺みたいになっちゃうと思ったり、断るっていうことがなかなかできなかった」

「つまり、スカウトされて「ここまで話が進んじゃってるのに今からやめたいなんて言ったら、もしかしたら借金取りの人が来ちゃってお金とられちゃうのかもしれない」と思って芸能界入りを決意した話は昔からしていたけど、かなりディテールが違ったのである。

しかも「ウチの事務所には誰がいる」みたいな説明も一切なく、いきなりニューカレドニアで写真集を撮影することになるが、「そのときはマネージャーさんとかついて来なくて。カメラマンさんとメイクさん、スタイリストさん、私だけで……。だから最初、大丈夫かなって。それも不安だったんですけど」って、それは不安になって当たり前だよ！

当時の彼女は本当に真面目で、『乙葉本』によると「ビキニって下着と同じじゃないか。普通下着というのは本当に好きになった人とか結婚する人以外に見せてはいけないもののはずだ。それを見せるというのは、もう娼婦《しょうふ》みたいなものじゃないか！」と考えていたから、スタッフがみんな自分のバストについて話したり見たりすることに対して「あの〜、これってセクハラじゃないかと思うんですけど……」と抗議するが、「芸能界にセクハラなんて言葉はないんだ」と言われ、「泣きました、ニューカレドニアで」「現場で泣いてしまったのは後にも先にもその一回だけです」との展開に。

しかしボクのインタビューでは当時どういう思いで活動していたのか聞くと、「迷惑かけないようにしようっていうのが一番でしたね。あと、泣かないようにっていうのも毎回注意されて、一年ぐらいかかって人前で涙は見せないようになって」とのことで、実はずっと泣き続けていたことも判明！　水着の仕事が苦手だった人が、乗り越えた瞬間はいつだったのかと聞いたら「最近」と答えていたことにも衝撃を受けたのであった。デビュー二〇年で、去年ようやく乗り越えられたぐらいだったんだ……！

語り継がれる恐るべき伝説はその発端まで紐解いていくと、思わぬ事実があるものなのだ！

漫画家とりいかずよしインタビューの下調べとして元集英社ヤングジャンプ編集長・角南攻の『メタクソ編集王「少年ジャンプ」と名づけた男』（竹書房、二〇一四年）という本を読んでみたら、とりいかずよしと関係ないエピソードがちょっと面白すぎた。『少年ジャンプ』で『トイレット博士』を手掛け、スナミ先生のモデルにもなった彼は、その前は一瞬で休刊した『ジョーカー』という男性誌の編集者だったそうなんだが、「吉永小百合が脱いだら、一〇〇万部売れると思わないか。スナミ、ＯＫが出るまで会社に来なくていいから、一発強引に口説いてみろ」と編集長に命じられると、それを実行に移すのだ。

「プロダクションに出かける。一応『明星』を出している集英社ゆえに、本人に話は聞いてもらえる。NOの返事しかない。当然か。仏の顔も三度まで、四度目の訪問でプロダクション社長は激昂《げきこう》し『二度と来るな』と殴られた。それでも六回にわたって訪問」

吉永小百合を脱がそうとしてしつこく食い下がる側も、それをブン殴る側もどうかしてるんだが、こうしてしつこく食らいつくことが女優を脱がすための手段だったのである。

「悔しかったと言えば、女優Nの一件だ。事務所を通じてしぶしぶOKをもらったが、撮影当日迎えに行くと、マンションの部屋の鍵を閉めてロックアウトしている。『おはようございます。Nさん、出てきてくださーい』。いつまでたっても居留守を使うので、ドアをガンガン蹴り、マンションの反対側に回って窓に石を投げた。バシーン。反応がない。そのうち窓が割れ、警察に電話されてしまった。警官が来ないうちに逃走」

これ、事務所に無理やり脱がされそうになった、いまでいう強要案件だと思います！

そして、梶原一騎関連のエピソードも興味深かった。集英社で一番長い梶原番だったスナミ氏は、山の上ホテルのバーで飲んでいるとき、こんなことを言われたそうだ。

「小学校の折、戦争で米軍機の一斉機銃掃討があった。クラス四〇人のうち、二四人が射殺されたんだよ。自分は排水溝に落ちて助かったんだが、突き飛ばしてくれたのが一番の親友で、彼は射ち殺されてしまったんだ。今でもあいつを思い出すよ。スナミちゃんは、そいつにソックリでなあ……」

当時、「業界じゃ強面で通っている、あの梶原一騎が、そう呟き涙ぐんだ」そうなんだが、すいません！　これ、たぶん梶原先生なりのサービストーク＝作り話だと思います！

なお、『少年ジャンプ』の名物編集者を経て『ヤングジャンプ』の創刊編集長に抜擢されたスナミ氏は、「一五歳から一八歳の少年〜青年たちは、何を求めているのか。一九七七年から『週刊少年ジャンプ』のハガキアンケートにその辺りの質問は織りまぜていた。さらに、一五歳以上をピックアップしてすべてのアンケート結果を見て」研究したらしい。

「さて、それでは（『少年ジャンプ』の）『友情・努力・勝利』（で育った）少年が抱く、次なるイメージは何だろうか。基本的に、『セックスを含む恋愛』『暴力』『権力に対する闘い』が、三大テーマであるとは推測できたが、この三つを巧くまとめるキャッチにできなかった。そのまんま提案すると危ないと思われるもんね」

つまり、『ヤンジャン』初期の人気作品である本宮ひろ志『俺の空　刑事編』が、セックス＆暴力で大人気だった前作に反権力要素が追加されていたのは、きっとそういうことだったのである。「友情・努力・勝利」よりも「セックス・暴力・反権力」！

晩年の告白には思いもよらない事実が溢れている。そんな話を余さず聞き出したいものなのだ！

とりいかずよし『トイレット博士』のスナミ先生のモデルや『少年ジャンプ』の命名者として知られる、集英社の編集者・角南攻。

彼が亡くなる直前に出した自伝『メタクソ編集王　「少年ジャンプ」と名づけた男』は、昭和の漫画雑誌がどれだけデタラメで面白かったのかを伝える貴重な資料になっている。

彼が集英社に入社した一九六八年には、「月々の給料はすべて社内の博打で先輩たちに巻き上げられていた。原稿待ちの時間に花札をし、校了（社内の編集作業の終了）明けにはウイスキーを呷《あお》りながら麻雀をし、四人揃わなければチンチロリン、果ては電話帳を使ってのオイチョカブなど、なんでもやらされた」「『今日は無礼講だから好きにしていいよ』と、部長が挨拶したその瞬間、新人が突然詰め寄り、『オマエが気に喰わねえ』と、部長を殴っちゃうんだもん。昔ながらのバンカラ調どころか、大変な会社だ」という、そんな時代の本なのだ。

彼は梶原一騎＆井上コオ『侍ジャイアンツ』の担当者であり、主人公・番場蛮の命名者でもあるんだが、梶原一騎ともいい関係で、「殴る蹴るで『怖い』という噂があったが、接した限りボクには暴力行為は一切なく、心開ける素敵な人だった」とのこと。

しかし、当時の「梶原は猛烈な売れっ子原作者であり、常に締め切りに追われていた。某週刊誌の原作原稿は四〇〇字詰め四、五枚しか書かないという、明らかな手抜きだった。ある日、原稿で野球の中日×巨人戦を書いている時、梶原は原稿用紙に『中日ナイン・巨人ナイン』とだけ書いてボクに渡してきた。『スナミ、お前、野球に強いだろ。先発メンバーは書いといてくれ』『ちょ、ちょっと待ったァ！　先生は四〇〇字詰原稿用紙の一マスがウン十円の仕事してるんですよ。自分で書くのが筋でしょ!!』と強い調子で返したら、『いやいや、おっしゃる通りだ。スマンかった』と、深く頭を下げ……野球名鑑を見ながらメンバーを書き始めた。こういうところがタマらなくいい男だ」。

これも貴重すぎる、実は素直な梶原一騎エピソード。

そして、梶原一騎に対して物怖じせずに何でも言える関係だったからこそ、こんな企画も実現することになったのである。

「ボクはTV放送開始以来、プロレスファン。力道山の空手チョップで育った世代。馬場や猪木も大好きだが『プロレスって八百長じゃないのかなァ』と疑っていた。赤坂の高級クラブで、ある夜、梶原一騎の耳元でささやく。『読者がね、本気か八百長か一度、本物のレスラーと闘いたいとたくさん問い合わせがあって。ここはひとつ、先生の偉大なお力で、アマとプロを対決させたいんですよォ』『なにィ、八百長だと。許せん。そいつらボコボコにして、プロのパワーを見せてやる』『じゃあ、タイガーマスクに挑戦して三分でフォールしたら賞金一〇〇万円＝肉弾梶原賞ってので募集開始！』『ちょっと待て。なんでオレが一〇〇万円払うんじゃあ！』『先生、三分でタイガー倒せたら日本一の男ですよ。いくらでも稼げるでしょ？』『そりゃ……その通りだ。よし、やろう！』。青年たちの体を動かしたい欲求が、プロレスラーのタイガーマスクに挑戦したい人を集めた。『肉弾梶原賞』になった（一九八二年、週刊化一周年企画。漫画『タイガーマスク』は梶原一騎・原作、辻なおき・画)。大学の柔道部や空手部など、立派な体格の猛者《もさ》たちから選ばれた立教大学四年生『超人ハルク神部』くんが挑戦したが、プロの強さは圧倒的だった。結果は学生の惨敗、イベントは一五分で終了！　大阪府立体育会館はシーンとして、泡吹く青年一人」

なんとプロレス本にたまに登場する、生意気な素人が道場破りにきたから藤原喜明や前田日明が半殺しにしたエピソードの発端が、スナミ先生だったことが判明！　しかもこれ、当時の『ヤンジャン』を確認すると屈強な腕自慢たちが集まったわけじゃなくて、プロレスが大好きでマスクを被ったりの本格的なリングコスチューム姿で本物のリングに立ってみたいと考えた、学生プロレスとかをやってるような挑戦者ばかりで、それを前田日明や髙田延彦がガチで潰したってことらしい。雑誌の企画でそこまでやる昭和の新日本プロレスも完全にどうかしてる！

この本の発売記念イベントで、『ヤングジャンプ』の編集長や労働組合の委員長をやりながら、亡くなった脚本家の名前を借りてバイトで『西部警察』のゴーストライターをやり給料以上に稼いでいたなんてことも告白してたりと、スナミ先生は一度じっくり話を聞いてみたい人だったのである。会いたかったなあ。

聞き出す力──其の六十三

テレビ番組等には台本があるが、台本を無視したギリギリのプロレスが行われることも！

ボクが最近とあるワイドショー番組に出演したとき、生放送なのに当初の予定と全然違うことばかり聞かれて本気で困ったんだが、これは役割を理解したレギュラー出演者同士によるある種のプロレスであり、ワイドショーという名のショーなんだなとも思った。そして、昭和のワイドショーは、いまよりずっといかがわしくてデタラメで、さらにギリギリの過激なプロレスをやっていたのである。

借金を返さなければ風俗に沈めたり腎臓を売らせたり、リアル『ミナミの帝王』というべきサラ金の帝王・杉山治夫会長（故人）。その物騒すぎる取り立て現場に密着したりしていたフジテレビ系『おはよう！　ナイスデイ』が、彼と互角に闘える相手として選んだのが強豪・ミッキー安川（故人）だった。

杉山治夫『実録　裏金融界の黒い罠　借金返せにゃ腎臓を売れ』（青年書館、一九八五年）によると、当時はこんな抗争劇が毎週のように放送されていたのである。

一九八四年一一月二一日放送分では、まず「最近サラ金の話を聞かなくなったんですが、皆さん、新聞読みましたか？　サラ金業者がですよ、人間の腎臓をですよ、この腎臓を抵当にしてお金を貸しているわけだ。前にもこの番組に出たと思いますけどね、あの杉山さんがここにいるんですよ」と、新宿二丁目の杉山会長の仕事場にミッキーが突入。電話でサラ金取り立て中の杉山会長に、「なにも人の命まで追い込んだりだね、特殊浴場に売ったりして借金返済にしたりだなあ」とミッキーが突っかかると、「特殊浴場には皆喜んで行っとるよ！」（杖で机を乱打）「喜んで行く女《ひと》いますか！」「喜んで行ってるがな！（再び杖を乱打）あんたが特殊浴場に勤めに行けますか」「俺は男だから行けないよ」などと言い争い、杖を奪い合い、札束をバラ撒き、ここから二人の抗争がスタート！　もちろん、二人でちゃんと打ち合わせをした上で、お互いのサービス精神も発揮されているけれどアドリブ要素も強い、いい意味でのプロレスだったみたいなのだ。これこそ本物の、金の雨を降らせるレインメーカー！

　翌週の一一月二八日放送分では、番組が用意したリンカーンで杉山会長がフジテレビに降り立ち、ジョーズとロッキーのテーマをバックに、人体模型が置かれたスタジオへと登場したりと、番組側もエンタメに針を振る。またもや杖の奪い合いで二人が乱闘した後、ゲストの浅香光代が「もう腹が立って、この野郎！　そんな棒振りまわしやがって、ちっとも怖くないんだよ！　こんな金、見せんじゃねえよ！　御祝儀じゃあるまいし。ええ、くれるんならもらっとくけどよ」と食ってかかってきたりと、新キャラも混ぜ始める。

　一二月一二日放送分では、二人の乱闘にゲストの石原慎太郎が止めに入ったり、二〇歳から一六年間も人工透析を受けてきた独身女性のＶＴＲを見た杉山会長が「いやあ、あんたのようなきれいな方やったらね、ただで腎臓さしあげましょう！」「美しい！　ぜひわしの五号になってください！」「何人も愛人おるけど一人逃げられたので、今、ぜひあなたのようなきれいな女《ひと》が欲しい！」と言い出し、そこで浅香光代が「この男！　なんであたしに愛人になってくれって言わないんだよ。なってやろうじゃねえか、あたしが！」と予想外の方向で嚙み付く！

そして一月九日、とうとう大病で激痩せした直後の梶原一騎が杖をつきながら登場するのである！　ところが「この男は悪の教科書ですよ。梶原さん、どう思いますか、この男を。こういう男がいていいと思いますか」とミッキーに話を振られても、大病して元気がなかったせいなのか「さあなんていったらいいかね。いけないとも言えないしね、まあ僕の作品の世界からいったら悪役だよね。でも実際にみていると助かる人もいるんだからねえ」と無難なコメントに終始して、二人の乱闘を止める側になる梶原一騎！　あの梶原一騎が真人間に見えちゃうぐらい、当時のワイドショーは狂っていたのであった。

聞き出す力――其の六十四

業界歴が長い大ベテランにインタビューするときは大チャンス。現役バリバリのときには言えなかった危ない話が聞ける⁉

最近、半グレのパーティーでネタをやったり、ヤクザのパーティーで記念写真を撮ったりした闇営業芸人が謹慎処分なり解雇処分なりに追い込まれるような時代になってきたんだが、「え！　ボクも参列者の半分以上が黒社会だった真樹日佐夫先生関係のパーティーでその筋の人と記念写真を大量に撮ってきたのに、あれもアウトなの？」とまず思った。だってアントニオ猪木を監禁したり梶原一騎のお母さんを誘拐したり「俺のバックにはヤクザがいる」と言い出した島田紳助を詰めたりしてきた元東声会京都支部長・唐田知明さんとパーティーで遭遇したら、そりゃあ記念写真ぐらい撮りたくなって当然だろうし、ボクにとっては出崎統監督や大山智弥子夫人や白冰冰と記念写真を撮るのと大差なし！

そして、ボクはインタビューでもヤクザ絡みの昔話をいつも聞くようにしていて、老人を取材するといまさら守るものもないから何でも話してくれるのが楽しくてしょうがないのである。

つまり、こういう問題でダメージを受けるのは、子供もまだ若かったりで仕事を失うわけにはいかない、テレビやCMに依存しているタイプの人だってこと。本来テクノの世界の人だったピエール瀧が、気がつくとテレビやCMの人になっていたから想像以上のダメージを受けたのも同じようなことだろう。

小林旭に言わせれば「何がコンプラだって!」って話なので、全日本女子プロレス中継や『びっくり日本新記録』でお馴染みの、元日本テレビで現在八六歳の志生野温夫アナから聞いたエピソードを紹介してみたい。

「僕、フリーになってテレビ東京なんかでゴルフ中継やってたけど、僕が最初にゴルフ中継をやらせてもらったのは、全部ヤクザ主催のトーナメントなんですよ。ちゃんとしたトーナメントは局アナがやるの。『なんで今回は僕なんですか?』って聞いたら、『ヤクザが主催者だから』って。優勝賞金一〇〇〇万円とかで、ジャンボ(尾崎)とか青木(功)

たちがみんな来るわけですよ、おいしいから。それで『いいよ、任せとけ』って。その感覚でフリーアナウンサーって使われてたんですよ。『こんなのは局のアナウンサーに放送させられない』と。俺たちはおいしいんで、『おう、やらせてくれ。お金になるんだったらなんでもいい』って」（志生野）

これぞ昭和のテレビである。局アナは使わないという程度のコンプライアンス意識。

「だけど昔の興行って、プロ野球もそうだしゴルフもそうだし、みんなヤクザ絡みなんですよ、プロスポーツは。ONの全盛時代でも、関西で阪神vs巨人なんていうオープン戦があったら、日本テレビの局長がONを連れて山口組の田岡さんの神戸の自宅に挨拶に行ったんですから。そういう時代だから、プロレスも地方の興行は全部ヤクザで。リポーターの宮尾すすむさんなんか芸能界で慣れてるから、宮尾さんがよく行ってたんだけど。僕も熊本空港なんかに着くと黒塗りの出迎えの車がいて、フジテレビはゲストの女優なんかを必ず連れてくるわけですよ。三[redacted]じ[redacted]ん子なんかもよく来てたな。まず黒塗りの車に一緒に乗せられると、行き先が親分の自宅なんですよね。そこで『まあ一杯やれ』って言われるけど、僕らは一杯できないから、お茶かお菓子かなんか食べてけって言われて、そこで挨拶をして。それはフジテレビのプロデューサーとかは行けないわけですよ。（全女フロントの）松永兄弟も、興行ではお世話になってるんだけども、親分とかヤクザとかとはケンカしたりするんですよ。松永兄弟は『俺たちは彼らに売り上げの何パーセントか持ってかれる』っていうのがあってね」

原稿チェックではカットされたが当たり前のように現役政治家となった女性タレントの実名も出しながら、物騒な話を続ける志生野アナ。結局、あの頃のテレビ局のルールは「ヤクザ絡みの仕事も喜んでするけれど、直接の接点はなるべく作らない」って程度でしかなかったんだろうし、いまはそれが見えにくくなっているだけで本質は変わらない気がするのである。

聞き出す力──其の六十五

インタビューした相手が捕まった……なんてことも。常に動じないことが大事なのだ！

二〇一九年七月九日、『ルパン三世』歌手逮捕　知人男性に暴行容疑、ウルトラマンも」という報道があったのをご存じだろうか？　捕まったのはチャーリー・コーセイ？それとも、みすず児童合唱団？　と思ったら、海援隊の『ＪＯＤＡＮ　ＪＯＤＡＮ』を作ったり『ウルトラマン80』や『未来警察ウラシマン』の主題歌を歌ったりしてきたハーリー木村だったからビックリ。ちょうど前年一二月にボクは仙台まで行って彼をインタビューしたばかりだったのだ！

公園でオカリナを演奏していた男性に声をかけ、同居するようになったら、その男性が彼の手料理を食べなかったためブン殴って一一〇番通報されたそうで、これによって彼が韓国籍なことも報じられたんだが、実はボクにとっては全然意外じゃなかったのである。

一五歳で上田正樹とGSバンドを組んだり、ピーターのバックバンドをやったり、TALIZMANというバンドを組んだりしていた彼が、HARRY名義やハーリー木村名義でソロになった理由を聞くと、こう答えたのだ。「……まあ、いろんなことがあったからです（笑）。言っちゃっていいのかなあ？」「ドラッグやったりね（あっさりと）」。

その時期はゴダイゴの事務所から杉良太郎の事務所へと移籍。杉良には気に入られていろんなところに連れ回されたが、ある日、杉良にある集まりでこう言われたそうなのだ。

「おまえなんかヤバいもんやってるらしいな。やってるなら、いまここで言え！」

当時、大麻はやっていたけど、それ以上のものはやってなかったから、すぐに否定。

「ホントのこと言うと、杉さんのとこ辞めてからヤバいものやり出したから」

歌手活動休止後、Vシネマの音楽は作っていたそうなんだが、それも運命の分かれ道となる。Vシネの会長から「おまえ、犬いるか？」とジャーマンシェパードをプレゼントされ、大型犬を飼う場所を求めて放浪生活がスタート。野宿したりしながら北海道に辿り着き、ポニーとかヒツジとかヤギを飼うまでになるが、「自分がその後、躁状態だって気がついたのが、ハンマーでヒツジの一頭を殺しちゃったんだよね。これはヤバいと思って。隣の牧場やってる人を蹴飛ばしたりとかね。警察官が来ると犯罪になるかもしれないという」。

こうして精神病院に即入院。そして数年前には、Twitterで「花見で偶然隣にいたオッチャンがおもしろかった。プロフィールも渡されたけど、すごい経歴で、ハーリー木村って人らしい」「毎年、春はメンタルを崩して入院するため、桜を見るのは六年ぶりと言っていた」というつぶやきがちょっと話題になり、気がつくと歌手活動を再開していたのだ。

二〇一七年、アイドルの姫乃たまが彼と共演するはずだったライブが、「ハーリー木村さんは国家権力に身柄の自由を奪われているため、開催中止となりました」と発表されたのも謎だらけだったんだが、あの真相は何なのか、せっかくなので本人に直接聞いてみた。

「ああ！　国家権力。傷害事件でしょ？　傷害事件は何回かありますよ、たいしたことじゃないけど。ああいうのってちゃんと勉強しないと事件になっちゃうんですよ」

てっきり薬物かと思ったら傷害！　若い頃は「キレるとちょっとヤバかった。血がそうさせるのかもしれないですね。僕、ジャパニーズじゃないんですよ、コリアンなんですよね」とのことで、数十年前には薬物での逮捕歴もあるそうなんだが、いまは酒もタバコも大麻もやめて、健康に生きているようなのだ。

なお、この取材の窓口になってくれた青年に彼との出会いを聞いてみたら、もともと大ファンで、彼の消息を探していたとき、「宮城の白石市で木村さんに殴られた人とネットでたまたまつながって」、それで連絡が取れたというのもいい話。そして、一時は彼に誘われて一緒に住んでいたというのも、実にいい話。いろんな人と気軽に同居しすぎな気もするが、真面目に生きていたら彼はいまでもまだ消息不明のままだったはずなのである。

インタビューにおいて、金の話は面白いことが多いのでガンガン突っ込んで話を聞くべし！

六〇年代に『サブマリン707』や『青の6号』などの潜水艦漫画をヒットさせ、七〇年代にはプラモデル『ロボダッチ』をヒットさせた漫画家・小沢さとる先生を取材したら、現在八三歳の小沢先生が語る昭和の漫画界の話がとんでもなく面白かった。もともと父親が漫画嫌いで、「漫画を読むようなヤツは人間の屑」「漫画を描くようなヤツは国を滅ぼす」と言われて育ったため漫画知識も皆無だった小沢先生は、工業高校三年のとき「製図もできるから漫画のペン入れぐらいはできるだろう」とアルバイトを紹介されたところ、それがなんと手塚治虫のアシスタントだったのである！

「日当七〇〇円なんて言われてね。当時は最高が日当八〇〇円、鋳物屋のアルバイトなんかはヤケドしながらせいぜい二四〇円だから破格だったんだよね。一番よかったのはヤクザの出入りのアルバイト」

手塚治虫を知らず「ウジムシ」って読んでいた小沢先生は、作業場だった護国寺の山海堂へ案内されると、タバコの煙が充満していて、みんな旅館の浴衣を着崩して作業中。

「その向こうでは編集者たちが雀卓を囲んでたり、オイチョカブをやったり、とにかく想像を絶するぐらいひどい世界だったんです」

この環境ではやってられないからバイトを断って帰ろうとしたら、特別に別室が用意されてそこで作業することに。すると、それが特別扱いだと思った編集者が「どうも彼は手塚治虫の秘密兵器らしい」と誤解して、アシスタント経験もろくにないまま連載を頼まれる展開に。できるわけないから何度も断ったが、結局は引き受けることになるのである。

「アルバイト高校生でしょ、関心事はコレ（銭マーク）なんですよ。つまり、それを描いたらいくらもらえるのかって話をしたら、四八ページで四万八〇〇〇円で源泉徴収一割って聞いたわけですよ。六四ページだったら六万四〇〇〇円。高卒の初任給が七〇〇〇円から七五〇〇円の時代で、四万は卒倒しそうな金額なんですよ。これは一回だけでものにしたい」

それで六四枚描き上げて原稿を編集者に渡すと、原稿料の支払日は掲載の五〇日後だと聞いて「描けばこれだけやるって言って描かせておいて、いまさら五〇日後はないでしょ！」と怒り出し、その日のうちに現金で原稿料を受け取ることに成功。すぐに経理の電話を借りて四人の友達に「大金が入ったから遊びに行こう」と電話して、レンタカーを借りて西日本一周して全額使い切り、それで漫画を辞めようと思ったら、なぜか依頼が殺到。「ただもう手一杯、でも金になるっていうことで。いやあ、お金になりました！」というぐらいに荒稼ぎしていくのだ。

そんなとき『少年サンデー』から連載の話を持ち込まれ、「いやいや、僕はもう漫画を辞めるから」と言っても諦めないから、「結局最後はお金の話になって」「夏休みと正月休みはくれってことで、夏に二回、正月は四回連載を休むって条件で始めたんですよ」。

当時の小学館・相賀徹夫社長が「小沢くんねえ、休みは困るんだよ」と言ってくると、労働基準法を持ち出して闘い、こうして誕生したのが『サブマリン707』だったのだ。

これがまた大ヒットしちゃったから、「おかげで僕の原稿料はウナギ上りになっちゃったんですよ（笑）」「当時、手塚さんが九万円もらってるっていうとき、僕は二〇万円」。しかも、原稿料が上がるにも理由があって、「担当編集者が僕の原稿料を上げるの楽しみにしてたの。あんまり大きい声では言わないけど、『先生、来週から二〇〇〇円上がりますよ。だから一週ぶんの上がった二〇〇〇円、俺にくれ』って」「週刊誌は一五ページでしょ。だから三万円くれって言うわけ。『そしたら先生、来週から二〇〇〇円上げます』って」

こんなキックバックが横行するぐらい当時の漫画界はヤクザみたいな世界だったと語る小沢先生だが、そこから金を巻き上げ続けるタチの悪さがいちいち痛快なのであった。横山光輝『ジャイアントロボ』の裏話とか、信じられないエピソードしか出てこない！

聞き出す力――其の六十七

インタビュー対象を調べて嫌な噂を事前に知ることもあるが、現場では、それはそれの精神で乗り切るべし！

以前、この連載で黒い呪術師ことアブドーラ・ザ・ブッチャーをボクが二〇代の頃に取材したエピソードを紹介したことがある。もう一度簡単に説明すると、あれはWARに参戦した時期の地方大会だったから、おそらく時代的には一九九七年ぐらい。取材の窓口＆通訳担当は、現在・新日本プロレスのレッドシューズ海野レフェリーだった。ものすごい大雪が降る中、寂れた駅から徒歩でなんとか会場に辿り着くと、客入れ前の冷え冷えとした控え室で取材をやることになったんだが、金にうるさいことで有名なブッチャーが突然「これ、ギャラはどうなってるんだ？　団体側を通すのは信用ならないから、俺に直接ギャラを持ってこい。持ってくるまでは俺は一切話さない！」と言い出したのである。通訳担当の海野レフェリーがいなくなった控え室にはブッチャーと編集者とボクの三人が残され、ブッチャーはひたすら無言。端的に言って地獄！

昔から噂されていたブッチャーのケチ伝説って本当だったんだ……と実感したんだが、プロレス専門誌『Gスピリッツ』五二号「全日本プロレス　スーパーレジェンド列伝」特集の巻頭に掲載されたブッチャーのインタビューを読んだら、さらに頭が混乱してきた。

聞き手は元『週刊ゴング』編集長で全日本プロレスやWARの担当をしてきた小佐野景浩氏。長い付き合いだからボクとは違って信頼関係もあるんだろうなと思ったら、やっぱりこんなやり取りが飛び出したわけである。

「馬場のリタイアが話題になったことを憶えているか？　私が試合をしている時に、馬場はテレビのテーブルに座って解説をしていた。私は〝このコッ◯サッカー野郎、そんなところで喋ってないでリングにカムバックしてこい！　カマン！〟と挑発したんだ。それを観ていた馬場のワイフの元子は、私に言ったよ。〝ブッチャー、サンキュー！〟とね…ところで、今日のインタビューのギャラはいくらだ？　二万ドルか？」「いえ、◯◯円です（苦笑）」「本当に？　◯◯ドルか？」「いやいや、ドルではなくジャパニーズエンです（笑）」

「（ギャラの明細を見て）読めないように、文字をわざと小さくしているのか？　読めるくらい文字が大きいと、〝これでは足りない〟と私に言われてしまうからな（笑）」。

全然関係ない話から突然ギャラの話を切り出したかと思えば、「…今、私の言葉に混乱して戸惑っただろう？　そういう風に観客の心理をコントロールしなければいけない。どんなに一生懸命に試合をしても、観客が食べ物を買いに行ったり、コーヒーを飲みに行ったり、退屈そうな顔をしたら、このビジネスは終わりなんだ。さっきも言ったが、レスリングビジネスはサイコロジーなんだ」と、それっぽいことを言い出すブッチャー。プロレスラーが観客の心理をコントロールすることは重要だろうけど、インタビュアーを戸惑わせることには何の意味もないよ！　もともとインタビューではノーコメントが多いタイプなんだから、インタビュアーが退屈そうな顔をしたら、もうちょっとサービスしてくれればいいのに！　……と思ったが、もしかしたらこれがブッチャーなりのサービス精神なのかもしれないと徐々に思えてきたのである。

その後も「これ以上、インタビューを続けるならボーナスが必要になるぞ！」「……」（小佐野）「どうだ、また混乱しただろ（笑）」などと言い出したり、「それがレスリングビジネスのサイコロジーだ…やっぱり、今日のギャラは◯◯円でいいよ」「……」(小佐野)「どうだ、また動揺したか(笑)。さっきも言ったように私はレスリングができないから、サイコロジーで戦うレスラーだったんだ」と言い出したり、「これ以上話すなら、ボーナスが必要になるぞ(笑)」「ブッチャーは面倒臭いか？ ボーナスをくれたら話すよ(笑)」だのと追加ギャラを要求したりで、銭ゲバキャラもここまでくると、それはそれで一流のプロ！

聞き出す力——其の六十八

描いている作品のイメージと真逆なタイプの作家もいる。先入観を捨てて、意外な話を掘り起こすべし！

先日、『漫画ゴラク』でもお馴染みの村生ミオ先生をインタビューしてきた。村生先生は一九五二年生まれの現在六八歳で、一九七二年デビュー＝漫画家キャリアも四七年だから大ベテランのはずなのに、なぜかそれを一切感じないタイプ。そもそも本人曰く、これまでコミックナタリーと大西祥平君のインタビューぐらいしか受けたことがないらしくて、しかも前者の写真は全部首から下だけ、後者も引きの写真＆横顔だけで、どんな顔をしているのかさえもミステリー！　実際お会いしたら、古屋兎丸先生が老け込んだ感じの優しそうな顔をした、インタビュー慣れしてないせいか口下手で相当シャイな感じの人だった。もともと『少年ジャンプ』デビューしたものの、「僕は『ジャンプ』では成功しなかった……」「たぶんね、ギャグセンスがなかったってことだと思うんです（あっさりと）」とボヤきまくり、「全部ダメでした……。それで打ちのめされていくわけですよ、ギャグは全然ダメなんだと思って」とのことで、『少年マガジン』編集部の意向として「柳沢きみお『翔んだカップル』に続く同じ系統のもの」として作られた『胸さわぎの放課後』ぐらいからラブコメに方向転換。これが『翔んだカップル』同様にヒットして、映画化もドラマ化もされるが、「ぜんぜん影響はなかったですね……」「（役得なことも）何もなかったですね……」と、やっぱりボヤく村生先生。

この時期には漫画もバカ売れして相当稼いでたらしいんだが、「ただ、売れてるといってもあんまり実感はなかったんですよ」「忙しくてもうホントに描くだけ、みたいな」とのことで、「忙しくてお金を稼いでた時期のよかった思い出って何かないんですか?」といくら聞いても、「ああ……何もないですね」「ぜんぜん遊んでない！　いまも遊んでないし。……何やってたんでしょうね?」で話が終わるのだ。

それぐらい忙しかったせいで、漫画家さんの横のつながりも「ないです（キッパリ）」。パーティーとかにも「行かないです（キッパリ）」。かつてアシスタントをやっていた柳沢きみお先生とのつながりも「ないですないです！」。『ゴラク』もないですね。『ヤンジャン』もない。……何をしてるんですかね？」ってぐらい漫画界での交友関係もない。要するに、これぐらい真面目な人が、ああいう不真面目な漫画を描いているってことなのだ。

その結果、「団鬼六みたいな人かと思ってたとか（笑）」との誤解も生み、性の達人ではなく「性の凡人ですからね」「アソコがデカいとか。もう、ぜんぜん！　そんなにデカくないのに（笑）」と徹底反論。ご本人は孫も二人いる、ちゃんとした家庭人だったのである。

なので、村生先生にいちばんスイッチが入ったのは、こんな話だった。「いま犬を飼ってるんですよ、ラブラドールを。保護犬だったんですけど、七年ぐらい前に引き取って。もともとカミさんが犬を飼いたい、どうしても保護犬がいいって言ってて。いま僕はその子に夢中なんですよ！　時間があるといつも一緒です。トイレまでついて来るから」「かわいいんですよ！　そんな人いないもん、トイレについて来る人はいないでしょ？」「だから、僕もそれに対して無償の愛で応えようとしてますね」と、ひたすら愛犬の可愛さについて熱弁振るいまくり！

まさか、あの村生ミオ先生を取材して、こんなほのぼのした話になるとはと驚いていると、「そうですよね、もっとエロの話をね」「突っ走れないんだよね」「……こんな話でおもしろいですか?」「これうまく記事にしてくれるんですか?」「原稿、作っちゃってもいいですよ」と、ひたすら反省しまくる村生先生。『微熱MY LOVE』のドラマ版に出演した羽賀研二のエピソードをボクが語ると、「そっちの方が面白いから、そういう話で原稿を作った方がいいですよ」とまで言い出すのであった。まさか、この時点で闘病中で、翌年に亡くなることになるとは……。

聞き出す力――其の六十九

世間的にはあまり興味を持たれていない人物を長年追いかけてみると、思いもよらない展開になるかも⁉

一九八四年に四〇億円の大金を投じて売り出されたはずが全然売れなかった伝説のアイドル、セイントフォー。世間のニーズも無視して、そんな彼女たちの検証活動をボクは勝手に続けている。歴代所属メンバー五人のうち四人と、所属レーベルの副社長だった橋幸夫から話を聞いたのは、おそらくボクぐらいだろう。

主演映画が『ザ・オーディション』なのも含めて、彼女たちの活動はほとんどオーディション詐欺のようなものだった。「あなたも歌手になりませんか」というDMを片っ端から送って事務所になるべく多くの人を所属させて、多額の登録料を集めるのが目的で、そのオーディションの宣伝映画が『ザ・オーディション』だったのである。

末期の追加メンバーであり、現在は声優として活動する岩男潤子はこう言っている。
「元をたどると一三歳のときに何もわからずに親にも内緒で雑誌に載っていたオーディションの募集要項を見て、それが『あなたも歌手になりませんか?』という、『ザ・オーディション』というタイトルのオーディションだったんです」「ホントにわけもわからず合格の通知をいただいて、その『ザ・オーディション』って映画に出ることになるのかなと思って上京するんですけど、じつはそれはいわゆる養成所の、いまでいう養成ビジネスっていうんですかね」「ものすごい覚悟を決めて、親も説得して上京してみたら、私のように役のオーディションじゃなかったんだっていうことを事務所にたどり着いて初めて知る人たちが……」「『レッスンに通って』っていうのに受かってしまっただけだったのがショックで、でもこんなこと誰にも言えないと思って。学校の友達にはまったく何も言わずに上京してましたけど、家族が聞いたらショックを受けるだろうなって」(岩男潤子)
彼女は「二代目セイントフォー募集」というDMに乗せられたそうなんだが、初代メンバーも似たようなパターンだった。「だから、そういうオーディションに合格しなかった女の子たちが事務所の養成所に通うのに払ったお金を、私たちのデビューに使っていたのが後々わかったらしいんですよね。そしたらみんな蜘蛛の子散らすように辞めてっちゃって、生徒が誰もいなくなっちゃったんですよ」「で、運営資金に困って、社長が借金抱えて逃げちゃったという噂です」と岩間沙織は言っていた。

売り出し資金の四〇億はどこに使われたのかと聞くと、「四〇億は……社長が持ってっちゃったんじゃないですか（笑）。だって衣装にしても別にお金はかかってないですから。当時、ウチの事務所ってすごく力がなかったんで、三田寛子ちゃんとかがいたサンクスって事務所と提携して、それで音楽祭とかに出られてた部分があったんで、そっちにお金が行ってたのかな？」（岩間沙織）とのこと。

給料はわずか三万円で、「でも、もらってなかったんですよ（あっさりと）。だんだんもらえなくなってきて、社長の家に合宿してたから家賃と食事は大丈夫だったんですけど……。それで解散するとき、事務所に『未払いがこれぐらい溜まってるんですけど、いただけますか？』ってウチの父と一緒に交渉して、回収しました」と、岩間沙織はしっかりしていたから、まだいい。濱田のり子は「私、事務所に入るのに四〇万ぐらい払ったんですよ。タレント養成学校だったから」というだけじゃなく、末期には「ウチの親は『会社が危ないから』とか言ってすごい大金を振り込んでたんですよ、事務所に（笑）」というぐらいひどい目に遭い、セイントフォー解散後はメンバーの鈴木幸恵とピンクジャガーという二人組ユニットで活動を続けるが、「そしたらセイントフォーのときの社長が『許せない』って、圧力かけてきて」、活動もままならなくなった模様。そんなセイントフォーが二〇一八年に板谷祐三子抜きで再結成したので取材に行くと、今度は大人の事情で昔のゴタゴタについては一切話さなくなっていたのであった。

聞き出す力――其の七十

時代時代のコンプライアンスにも合わせていくべし。勢いだけではダメなのだ！

先日、谷隼人（現在七三歳）のインタビュー前に資料を読み込んでいたら、昭和の芸能マスコミがあまりにもどうかしていて驚いた。

いまは松岡きっことのおしどり夫婦ぶりで有名な谷隼人だが、実は『フライデー』に浮気写真が載せられて危機的状況になったこともあるし、松岡きっことは再婚であり、最初の結婚についてウィキペディアにはこう書かれている。

「『キイハンター』などの出演で女性からの人気も高まった一九七一年、ファッション・モデルの岡美智子と大恋愛の末に結婚」「一九七四年に離婚。原因は谷の母が岡を嫁として好まなかったことと言われている」

しかし、事実はそんな単純な話じゃなかったっぽいし、この離婚時の報道がいまの常識で考えたら完全にアウトな代物だったのだ！

まずは『ヤングレディ』一九七三年八月二七日号に「完全独占スクープ！」「谷隼人〈二六〉・岡美智子〈二六〉がついに離婚、妻はレズビアンを告白！」という驚愕の記事が掲載。借金返済のため銀座でホステスをするようになっていた彼女が、行きつけの店に記者を連れて行くと、そこはなぜか六本木のレズビアンクラブ。どうやら当時、谷隼人が死ぬほど忙しくて家にあまり帰れずにいたところ、彼女がそっちの道に目覚めたということらしい。

「もちろん私寂しかったのは確かよ。でも頼れるのネ。私がいちばん求めていたものがこれなのよ。だから、私は男を愛すように女を愛すようになったわけ……。どうして女が女を愛しちゃいけないの」「セックス？　男となんかもうしてないわ……私はレズなの」

この記事には東映関係者の某助監督による、「去年の夏、谷がロケで一ヵ月ハワイにいったんです。そのとき生活費として二〇万円おいていったんだけど、彼女はそれを一日か二日で浪費してしまい、あとは借金に借金を重ねて遊びまわった。その借金がつもりつもって三〇〇万円にもなったんです。もう貸す人がいないので、彼女は今度は一〇〇〇円、二〇〇〇円を借りて歩く。最初は谷もガマンしていたが、七月の中旬頃かな、『もう、どうしようもないから、ぼくは別れますよ』といっていた」との証言も載っている。そして、報道はこれが発端となりどんどん転がっていくのだ。

次は『微笑』七三年九月八日号に、「もう我慢できない　息子隼人よ　あんな嫁とはすぐ離婚して！」という谷隼人の母親インタビューが掲載。『女性自身』七三年九月八日号には「私が谷隼人夫人のレズビアン相手！」というレズビアンクラブの従業員インタビューも掲載！　あまりに騒動が大きくなりすぎて岡美智子はロスに飛んだと言われていたが、『女性自身』七三年一〇月一三日号に「行方不明といわれた谷隼人夫人は鉄格子の精神病院にいた」という記事も掲載。もう完全にアウト！

離婚が決まった頃には『微笑』七四年九月二八日号に「〃もう私は逃げない！〃レズ・異常といわれた名ばかりの妻が初めて綴《つづ》った荒《すさ》みきった夫婦生活の全貌！」という岡美智子のインタビューが掲載され、「私はさびしさに耐えきれず友人にすすめられるままに、ある薬を飲用しはじめた。その薬は街の薬屋に行けば手軽に買える精神安定剤だった。私はウイスキーと薬を併用した」と告白していた。そんな状況でも谷隼人は「全部自分が悪い」と言うばかりで彼女を決して責めず、余計なことも言わない男らしさを見せていたのである。

先日のボクの取材で、あえて詳細に触れず、最初の離婚時に「いまならありえないレベルの報道がさんざん行われていたから、これは相当消耗しただろうなと思ったんですけど……」と聞くと、谷隼人はこう答えた。

「消耗しましたね……そこから一九年ぐらい調子悪くて。簡単に言うと自律神経失調症みたいになっちゃって乗り越えられなくて。乗り越えたのは四五歳ぐらいのとき。でも、自分が背負ってきたもんだからしょうがないですよね」

想像以上の消耗っぷりだったのである。

聞き出す力――其の七十一

インタビュー中に思いもよらない面白話が出てきたら、予定外でも面白さを優先して喋りを止めるな！なのだ

五年前、『この劇画が凄い！ 劇画スーパースター烈伝』（日本文芸社、二〇一五年）というムックで、かざま鋭二先生をインタビューさせていただいた。そのときかざま先生から聞いたアシスタント時代の話というか、最初の師匠である佐藤まさあき先生（代表作は『野望』『堕靡泥の星』『若い貴族たち』ほか）の話が最高だったから、ここでお裾分けしてみたい。

辰巳ヨシヒロ先生やさいとう・たかを先生と劇画工房を結成したり、佐藤プロという貸本レーベルで水木しげる先生や平田弘史先生を売り出したりしてきた劇画界のレジェンド、佐藤まさあき先生。しかし、彼がすごいのは作品よりも本人の人生そのものだった。

「ホントに初めて目の前で見たプレイボーイ。すごくいい男、顔はね。背はちっこいんだけど。だから、まず絵とか構成を教わったっていうより、だいたい女の話になって口説き方を教わってたよ」（かざま）というように、教えてくれるのは漫画ではなく口説きの技術！

ビジネスの才覚もあるから、工場に掛け合って、「背景におたくの工場を出すからお金ください」とか交渉したり、デパートに掛け合って、デパートのなかにブースを作って漫画の制作現場を見せるイベントをやったりもしたんだが、「目的はナンパだと思うんだけど、劇画講座とか開くじゃないですか。そうすると全国から参加者が来るんですよ。で、かわいいと思った子はお持ち帰りして」（かざま）なんて感じでナンパを繰り返した。そして晩年になると、「みんなおばあちゃんだから許してくれるだろう」ってことで、女性遍歴を全部顔写真入り＆実名で書いた『堕靡泥の星』の遺書』（松文館、一九九八年）を出版。これが当然のように大問題となり、顔写真が目線入り＆名前がアルファベットになった『プレイボーイ千人斬り』（松文館、二〇〇〇年）として出し直したのである！

「でも、佐藤先生の本はおもしろかったですね、ホントにそのまま書いて、女性はみんな怒ったらしいけど」「悪い人じゃないんだよね。だって、みんなを海に連れてってくれたし」「自分の彼女も連れてって。でも……先生たちはホテルに泊まるんだけど、『君たちはそこらへんに寝て』って言われて、俺たちは海岸で野宿」（かざま）

それ、間違いなくいい人じゃないよ！

こんな人のところから、錚々たる劇画家が育ってるのが不思議でしょうがないのだ。

「やっぱり自由だったんですよ。たとえば、松森正は松森正の絵を描いてて、佐藤先生の絵とまったく違う。キャラクターによってバラバラなのに、全然ＯＫなんですよ」「『おまえのほうがかわいいから、おまえの絵でいいわ』みたいな。で、川崎三枝子とか俺とか、いろんな人が自分の絵を描くんだけど、そういうのを全然気にしないで好きにやらせてもらえるんで」（かざま）

さいとう・たかを先生の絵が大好きだったかざま先生も、さいとうプロには入れてもらえず、やむなく佐藤プロに行ったら即採用。「佐藤先生はそんなに絵がうまいわけじゃないじゃないですか」「粗削りでデッサン狂いまくってたから全然好きでもなかったね」（かざま）って感じだったのに、初日からいきなり人物を描かされ、さらには佐藤プロが出している貸本で「短編を発表させてくれるような場所もあったし、そうするとやる気になるじゃないですか。あの当時いた五人とも全員ちゃんと漫画家になったからね」というように、良くも悪くも劇画にこだわりがないと弟子がよく育つみたいなのだ。

なお、「佐藤先生にはお兄さんがいて、種違いか腹違いなんだけど、その人もまたハンサムで、しかもなかなかいい人だった。でも俺が何度かトラブって佐藤プロを辞めたとき、その人から『おまえを漫画界で食っていけないようにしてやるからな！』とか言われたわけ」（かざま）って、それも含めて全然いい人じゃないよ！

聞き出す力――其の七十二

インタビュアーは、幅広い知識を持つことが必要である。あらゆる分野の知識を蓄積しておくのだ！

『GREASE UP MAGAZINE』というロカビリー専門誌の最新号に、一九八一年デビューのロックンロールバンド、ブレイン・ウォッシュ・バンドのインタビューが掲載されていた。世間的な知名度はほとんどないが、いまや伝説となった初代タイガーマスクのデビュー戦（八一年四月二三日、新日本プロレス蔵前国技館大会）で入場テーマを生演奏したことで歴史に名を残すことになったバンドである（ちなみに対戦相手であるダイナマイト・キッドの入場テーマ担当は、あの外道！）。

もともと大阪のハードロックバンドだった彼らをキャロル路線のロックンロールバンドに作り変えたのは、ある男だったらしい。

「阪神の一一階のスタジオにいきなり来たんですよ」「ちょうど練習してスタジオの外に出た時に変なオヤジがいるなと。リーゼントにサングラスの」「そんで『君らいいな〜』って。『ただお前らまだツラが弱いよ』とか言われて」「その人が大阪のアメリカ村の発起人なんですよ。アメリカから帰って来て、今のアメ村の場所に若者のファッション……古着とかジーパンのお店を出すわけ。もう飛ぶように売れてね」「それでそのオッサンに『俺は日本に帰って来てずっとファッションのことやってきたけど次に音楽のことやりたいんだ。俺がデビューさせるからお前らやらないか？』って言われて」「『お前ら、キャロル聴いたことあるか？　額を出せ！』って」

こんな強引すぎるプロデュースをするその男についてインタビュアーが「なんて方なんですか」と聞き、彼らは「漆谷勲」と答えて、話はそのままスルッと流れていくんだが、ちょっと待て。これ、ゴジン・カーンの本名だよ！　アブドーラ・ザ・ブッチャーによる著書『プロレスを10倍楽しく見る方法』（ワニブックス、一九八二年）の翻訳担当としてクレジットされていたけれど、要はミスター高橋の著書とかからパクって本をデッチ上げたゴーストライターであり、それが大ベストセラーになったことで当時ブッチャーのマネージメント担当だった梶原一騎とギャラで揉めて、梶原逮捕のきっかけを作った謎の男！

漆谷はブレイン・ウォッシュ・バンドでもキングレコードとの契約を持ってきたりとそれなりに力を発揮したようなんだが、「ただとにかく漆谷がイケイケでめちゃくちゃなこと言ってましたよ。日比谷の野音でジャパン・ロックフェスティバルっていうのを（内田）裕也さんが二日間やってたんですけど『二日目のトリをやらせろ』って言い出して」。

ただの新人バンドが裕也ファミリーにそんなこと言ったら揉めるに決まってるんだが、「そりゃモメましたよ」「正直言って全部その調子だから。レコード会社の重役とかにも『ヨロシク～』ですもんね」「『ヘコヘコするな、絶対。対等なんだから。社会の枠組みの中で仕事してるんじゃねえから』って」。

その結果、「漆谷があっちこっちでいろいろやっちゃうもんだから。はっきり言うと干されたんですよ、事務所ごと」。それで「漆谷と離れたんですね。これはちょっと厳しいなと」ということになり、わずか一年程度でバンドは解散。その後、漆谷はゴジン・カーン名義でリム出版から『プロレスを10倍楽しく見る方法』（一九九二年）を出し直したり、映画『8マン　すべての寂しい夜のために』（一九九二年）をリム出版の社長・宮崎満教と制作したりしたものの、『8マン』は東京ドームでの試写会はガラガラだし興行的にも大コケするしで、リム出版を倒産へと追い込むのだ。

実は、そんな漆谷をボクは二〇年以上前にインタビューしたことがある。話自体はすごいデタラメで面白かったんだが、取材の数日後、泥酔したまま『紙プロ』編集部に乗り込んできて、北野印度会社の等身大ビートたけし像に喧嘩を売ったり、突然ユセフ・トルコに電話して激怒されたりで、その厄介さはボクも身を以て体験しているのであった。

聞き出す力――其の七十三

取材相手をあえて挑発して無理やり聞き出すのは、絶対にノー！

二〇〇八年ぐらいにフジテレビ721の『チャンネル北野eX』で放送されていたけれどネット上にほとんど情報が残っていない、『たけし軍団全書』という企画があった。これは、そのまんま東（当時は県知事なので取材不可能）や大森うたえもん（当時、東を追って宮崎で活動中）、柳ユーレイ（当時、役者業に専念するため、たけし軍団から離脱）以外のたけし軍団メンバーに、ボクが一人ずつロングインタビューをしてそのまま番組にする企画。CSなので地上波的なタブーもなく、それぞれにとってのフライデー襲撃事件をたっぷりと掘り下げたりで、かなり好評だったから単行本化やDVD化の企画もあったのに全てが流れ、再放送すらされることもなく、人々の記憶から忘れ去られていっている事実……。いや、ホント人はいろんなことを忘れていくものなのだ。

たとえばビートたけしのフライデー襲撃事件は何度も振り返られる機会があるから、世間でもよく知られているようでいて、実は忘れ去られているエピソードがある。まず伏線として、一九八四年に石垣利八郎という記者が雑誌『ラジオマガジン』でたけしの少年時代のルポを執筆。この記事は、基本全てに噛み付いていた当時のたけしも、著書『たけし吼える！』（飛鳥新社、一九八四年）で「この石垣ってやつの調べ方は異常だったよ。ホントに調べやがるんだもん、こいつは。オイラひっくりかえったもん。こいつぐらいだね『これはすごいな』って思ったの。このくらいやられると、まいるよな。小学校のときの藤崎っていう担任の先生まで引っぱり出してきやがってさ」「この間も、どしゃ降りの雨の中、野球の取材に来てさ、明くる日も五時に起きて来ててね」「こいつのスッポンみたいな調べ方には負けたよ」と大絶賛。この実績が評価され、その後は『GORO』（小学館）の記者としてたけしに食い込み、『フライデー』（講談社）にスカウトされてからは移籍したことを黙ったまま、相変わらずたけし周辺の取材をスッポンのように続けていたのだ。

襲撃事件が起きたのは一九八六年一二月九日午前三時だが、その前日。「石垣記者は前日の八日午後一時ごろ、渋谷区内の専門学校前で、たけしの女友達A子さん（二一）に取材を申し込んだが、A子さんがこれを断ってその場から逃れようとすると、いきなり左手でこの女性の右手首をつかんで押し、駐車中の乗用車に押しつけるなどの暴行を加え、首や腰に約二週間のけがをさせた」（朝日新聞三月三日付）。

このとき怪我を負わせたかどうかばかりが当時から争点になっていたので、その後のことはほとんど言及されず、いまではすっかり忘れられている。まず「記者は学校に頼んで校内放送で呼び出してもらったが、出てこない。二時間後に男性が運転する車で彼女は立ち去ってしまったんです」とのことで、この時点でいまのルールでは考えられないんだが、彼女が逃げたのでこんな行動に出たわけなのだ！

「これまでの調べによると、同記者はこのトラブルのあったあとの同日夜、A子さんの自宅を訪れ、再度取材しようとした。家族と押し問答をした末、自宅前で『この売春婦！』などと大声を出し、A子さん方では一一〇番する騒ぎになった」（朝日新聞三月三日付）

アウト！　というか、このことがすっかり忘れられていることも、当時はほとんど問題にされずにいたことも本当にどうかと思う。

亀井淳『写真週刊誌の犯罪』（高文研、一九八七年）という本に、「ベテランの石垣記者に与えられた任務は、A子さんを挑発し、怒らせて何かの言質を取るか、反応を起こさせるための仕掛けだったのではあるまいか」と書かれていたが、あえて挑発し、反応した写真を載せるのが、当時の写真週刊誌のやり方だった。それが変わるきっかけになった事件なのに、重要なディテールが抜け落ちたまま語られがちなことを忘れてはいけないのだ。

インタビュー相手がよく知っている間柄の場合、表に出にくい本質を聞き出すチャンスなのだ！

新宿ロフトの創立者であり、ロフトグループのオーナーでもある平野悠、現在七六歳。日本にほぼ初めてといっていいライブハウスを作り、サザンオールスターズや山下達郎、BOØWYにARBといった面々を育ててきたレジェンドとして、日本のロックの歴史を語ったり、最近では自分の店で新型コロナのクラスターが発生してニュースに取り上げられたりしてきた人物だが、その本質が語られることが少なくてボクはずっとモヤモヤしていた。この人、もっとデタラメなはずなのに！

以前、平野さんの配信番組にボクが呼ばれたとき、「今日は豪ちゃんのことをとことん掘り下げるよ！　そのために、俺はすごい調べてきたんだから！　ほら！」と、ウィキペディアと2ちゃんねるのコピーを持参して、「ここにこう書かれてるのは本当?」と確認されるという地獄のようなインタビューをされたこともあったんだが、全てがその調子。

新大久保のネイキッドロフトには同じビルにヤクザの事務所が入っていたんだが、そのせいか「ウチの事務所の三階の消火栓のどこでドラッグの受け渡しやってたんだよなー」「コカインがこんなにあるんだから！　●階にシャブ抜き専門の医院があって、一階に売人が溜まってたんですよ。あれはおもしろかったですねえ。下も上も売人がいっぱいいてさ」「これ全部書いていいよ。みんな知ってるから！」と言い出したのもどうかしてる。

コロナについても、メディアでは「月に数千万円の赤字が出ているけれど、従業員は誰も解雇しないし、店も潰さない。そのために国から二億円を借りた」とか格好いいことを言っているけど、配信イベントでは自分の店でコロナが出たとき、「最初さあ、黙ってようと思ったんだよ。そしたら●●●●（某大物脚本家）の野郎がよー！」と言い出したりで、その人もコロナに感染したって報道はされたけれど、感染源について表立っては何も言ってないはずなのに、いちいちひどいことばかり言ってるのだ。

ロフトグループが配信にシフトして、ボクも出演者として頑張ってるのに、「あんなの誰も見ない」と、オーナーがブログで自分の店の営業妨害を続けるのもどうかと思うよ！　その辺りについて掘り下げようと平野さんをインタビューしたら、期待以上のデタラメさだった。最近、取材が増えていることについて、相手は「ライブハウスからコロナを出した、ライブハウスはこれからどうなるかとか、そういう話を聞きたがるから。俺は本の話をしたいわけですよ、恋愛本の話を！」「二冊同時に出したんだけど、一冊は前に出した『ライブハウス「ロフト」青春記』の復刊で、こんなのはおもしろくもなんともない！」「僕の心はもうロフトから離れてますよ。要するに、俺は七〇になって作家になりたいと思ったんですよ」と、自身のダブル不倫をテーマにした恋愛小説『セルロイドの海』の話をしたくてしょうがなかったわけなのだ。

「いま店が一二軒あって、二軒はフランチャイズだからいいにしても一〇軒は直営店だから、それを何軒に減らすかでしょ。そしたら社長（加藤梅造。平野悠は今回の騒動で代表を辞任）が『減らさない！』って言うんだよ。で、『社員のクビも切らない』って言うから、ちょっと待てよって（笑）。それでヤツらは国から二億も借りやがって。俺は『やめようよー！』って。だって店を一〇軒持ってたっておもしろくもなんともないよ、俺としては（あっさりと）」

なんと、メディアでの店を守る格好いい発言は自分のものじゃなかったことも判明！

そんな話ばかりしていた平野さんが、日本のバンドブームに絶望して海外を放浪したかと思えばドミニカで外務大臣に食い込み、なぜかドミニカ館館長として花博で日本に戻ってきて好き放題やったらしく、「そこで億儲けるわけですよ。これはすごい特権！」とか言ってたエピソードも、ヤバすぎて詳細は書けなかったけど、いちいちデタラメすぎなのであった。

聞き出す力――其の七十五

インタビュアーに必要なのは先読みの慧眼。何かありそうな人物には、先んじて突っ込んでおくのだ!

最近、映画『えんとつ町のプペル』のチケット&シナリオを大量に買った人が話題になったり、メルカリにチケット&シナリオが大量に安値で出品されていることが発覚したりで、キングコング西野さんのオンラインサロンやクラウドファンディングが批判され始めている。この件について、ボクの感想は「やっと気づいてもらえたんだ!」というもの。

実は三年前にボクは、西野さんのクラウドファンディングについて直接問い質すインタビューをやっていたのだ。ちょうど真木よう子や山田孝之がクラウドファンディングで叩かれた時期だから、「西野さんに対して釈然としないのは、クラウドファンディングでこれだけ芸能人が叩かれまくっている時代に、トップクラスで稼いでいる西野さんが全然叩かれていないことなんですよ」「総額一億円も稼いだ以上、もっと叩かれてもいいはずなのに！」とボクが追及したところ、西野さんも「たしかにそうですよね（笑）」「真木よう子ちゃんとか山田孝之くんのあの感じを見てると、額的にもそうですよね。あんまり叩かれてないんですよね」とあっさり肯定。

これがいままで問題視されてこなかったのは、ＡＫＢ商法なんかと同じで外部からは批判的に言われがちだけど、金を払う側も満足するシステムを作り上げたからなんだと思う。要は共犯関係ビジネスみたいなものだが、西野さんが興味深いのは吉本興業とも共犯関係になっていること。クラウドファンディングとかで勝手に金を稼いで契約的に大丈夫なのかと思ったら、ちゃんと社長にも話は通しているし、「そもそも吉本所属のタレントではない」「契約してないから」とのこと。

その上で「所属してないのに劇場も貸してくれるし、プッシュしてくれるし、こんないい事務所ない」と絶賛するわけなのである。

そして、契約もしてないなら関係ないはずなのに、外部で稼いだら吉本にお金も入れるから、いちいちちゃんとしているのだ。

「そうです。ちゃんとしてるんですよ、意外と」

「僕がクラウドファンディングで集まりすぎたぶんは、なんらかのかたちで吉本に入れてますね。直接お金を渡すと具合が悪いので、たとえば吉本東京本社の中庭に毎年クリスマスツリーを立ててるんですけど、あれを今年は僕が立てるっていう、そういう費用を出したり。それも一〇〇万円、二〇〇万円の話なんですけど。お金を渡しちゃうのはおもしろくないから、吉本が本来使うはずだったところを自分が払うっていうふうに一応してますね」

そして、ボクが「素朴な疑問で、それこそダイノジの大谷（ノブ彦）さんとかウーマンラッシュアワーの村本（大輔）さんが個人でやった仕事の分、吉本にお金を入れてるのかって気になるんですよ」と聞くと、「ああ、あれは入れてないでしょうね」「とにかく大谷さんはちゃんと懐に入れてるけど俺は入れてない（笑）。大谷さんが吉本に入れてるとは思えない」と言い切るタチの悪さも最高！

闇営業騒動以降どうにも批判されがちな吉本興業だが、キングコング西野、ウーマンラッシュアワー村本、ダイノジ大谷といった組織に馴染めない厄介なタイプも平気で抱え続けているという事実だけでも、実はすごい会社じゃないかとボクは思っているのである。

数年前、元非常階段のシルクさんにアナーキーの親衛隊時代の話ばかり聞くインタビューを大阪の吉本本社でやった翌月、前田五郎師匠が吉本と中田カウス師匠の悪口を言いまくるインタビューをまた大阪でやり、そのどちらも単行本『超・人間コク宝』（コアマガジン、二〇二〇年）に掲載しようと画策したら、あっさり実現。心が広いのかチェックがザルなだけなのかはわからないけど、このデタラメさはすごいよ！　吉本は所属している人数が多いからこそ管理もザルで、それが悪い方向に出たのが闇営業騒動で、その自由さが特殊な芸人を生み出す土壌にもなっているのであった。

インタビュアーにとって、新しいメディアは常に有用。自分なりのルールでもって、いち早く利用するべし！

前回、この連載で「キングコング西野、ウーマンラッシュアワー村本、ダイノジ大谷といった組織に馴染めない厄介なタイプも平気で抱え続けている吉本興業はすごい」と原稿に書いたら、入稿直後に西野さんが吉本を離脱するかもなどと報じられたからビックリ。これは、すぐにでも『ゴラク』編集部に連絡を入れて原稿を書き直すべきなのか。ボクが本気で悩んでいたとき常に役立ったのが、Clubhouseというアプリだったのである。

Clubhouseは音声版Twitterなどと表現されている招待制ＳＮＳで、最初こそ意識高いオンラインサロン系の方々が占拠する鼻持ちならない世界だったが、そこに漫画家や芸人が大量に参入。その結果、意識の高い部屋と意識の低い部屋が共存する、不思議な空間が誕生することとなった。そして、最初こそどの部屋でも人の会話に入る気になれなくて指名されても逃げ続けていたんだが、レイザーラモンRGさんに指名されたとき、これはチャンスとばかりに西野さんの件を直撃することにしたのだ。そして、RGさんに「西野は会長とも仲いいから、たぶん辞めないと思いますよ。だから原稿は直さないでも大丈夫」と言われて安心したら、やっぱり離脱！

でも、Clubhouseのおかげで吉本芸人の方々から連日、西野さん情報を聞き出すことができたから、それはそれで良かったと思うのである。いきなり会社に推されてブレイクして、会社のトップにも気に入られ、他事務所の大物からも気に入られる西野さんを嫌う先輩も多かったようだが、人当たりが良くて面倒見もいいから同期や後輩からは意外なぐらい好かれている。それを実感した次第なのだ。

そんなわけでClubhouseである。ボクはいつもラジオや配信といった他人の会話をBGMにして原稿を書いているので、これはちょうどいいと思ってよく聞いていたんだが、どの部屋に行ってもすぐ「あ、吉田豪さんがきた！」とバレるし、そのせいで面識がなくてもいきなり「会話に参加して下さい」と呼び出されるから、どうかと思うぐらい仕事にならない。

そして、テレビ東京・佐久間宣行さんが立ち上げた部屋にボクが加わって一緒に話してたら、なぜかそこに秋元康&指原莉乃も加わり、さらにはＡＳＫＡまで加わったりの事故が起きたり、やり方が全然わかってない浅野忠信やおぎやはぎ小木、そして面識もない宮迫博之といった人にボクがClubhouseの使い方を直接教えることになったりと、いろいろ面白いことにはなっているんだが、だからと言ってこれに本腰を入れたら最後、確実にいろいろと支障が出てくるはずなのである。

ボクは有料トークイベントを生業にしている人間なので、そことの差別化もしなきゃいけないから、自分なりのルールとして「自分で部屋は立ち上げない」「誰かに呼ばれたらトークに参加するけど、ちょっと盛り上げてすぐ離脱する」「長時間参加する場合は、ほとんど会話には参加しないで原稿を書く」「インタビューや配信出演のオファーをしたりで仕事に役立てる」といったことを勝手に決めてみた。無料で大物と吉田豪のトークが楽しめるんだったら、わざわざ金なんか払わないよ！　って人の気持ちもよくわかるから、これはあくまでも無料のお試し版であり、より深く、意味のある話を聞きたいのであれば、興味を持った人は有料の配信とかにアクセスしてみて下さい、的なやり方にしたのだ。漫画家の人とかは締め切りさえ守れるならいくら毎日喋りまくっても問題ないかもしれないけど、このルールは絶対に正解なはず。……と思ったけど、いわゆるオンラインサロン系の方々が、ここで擬似セミナー的な部屋を作りながら、参加者を徐々に自分のサロンに誘導するのと、やってることは大差ない気がしてきたのであった。売ってるものが「成功のノウハウ」的な商材じゃなくて、面白コンテンツなだけ！　でも、逆に言えばその違いは断じて大きい！

踏み込んだ質問をして、ギリギリの答えを引き出したら、そのまま載せる勇気を持て！

二〇二〇年に亡くなった渡哲也は、あれだけの大物なのに本人名義の著書が実は存在しない。『渡哲也 俺』（毎日新聞社、一九九七年）という本はあったが、それも柏木純一という記者による評伝だった。しかも、その本では渡哲也が中学〜高校と六年間の寮生活を送った時期について、たったの二ページしか書かれていないのが不可解で、「幼い時、兄弟喧嘩をして叱られたことはあっても、それ以外のことで母に叱られたことはなかった。（母の）着物を売り飛ばしても何も言わない母は逆に、『お父さまには内証ですよ』と走り書きして、小遣いを送ってきてくれた。『たばこだけは買わないで下さいね』。そう書かれた一言が、心に痛かった。つきものが落ちるように、渡が〝不良〟という衣を脱ぎ捨てたのは、高校を卒業して浪人生活に入った時である」と、その時期に不良だったらしいことは伝わるのに、その辺りの記述は皆無なのだ。

なぜそんなことになったのか。渡哲也の没後に発売された『文藝別冊　渡哲也』（河出書房新社、二〇二〇年）に、『シネアルバム　渡哲也』（芳賀書店、一九七八年）の高平哲郎の手によるインタビューが再録されていて、それを読むだけでも理由はわかると思う。

「中学二年生くらいまでは、非常に真面目にやってましたね。親の期待に答えねばというのが、子供心にあったですからね。悪くなったというより、好奇心ですね。頭が痛いなんていって、授業をサボるようになりまして。煙草、酒、女であったり……」

そう語る彼に高平哲郎が「女のことを一番聞きたいですね（笑）」と土足で踏み込んだ結果、大変なことになったわけなのである。

「学校の仲間たちとね、初めて女の子にさわったんです。不良の女の子二人と、同級生とで映画館に行って、生まれて初めて女の子のおっぱいさわって……。次の日、学校で授業受けていても、その感触が忘れられないでしょう。何か、こうポーッとしてまして。その子の家は神社の脇にありまして、土手の上から見えるんですよ。そうすると、その子がぞうきん掛けしたりしているんですよ。たまらなくなって、また呼び出して皆でさわったりして……。二年の終りくらいですか、それからそういう女の子との付き合いができて、ま、金がかかるわけですよ。それで大した額じゃないけど恐喝とか……まあ、したわけです。（略）点呼が終わってから、女の子を寮の押し入れに引き込んだり……」

みんなでさわるのもアウトなら、不良の女の子と遊ぶ金を恐喝で稼ぐのも完全アウト！

そして、「そうなると、さわるだけじゃ物足りなくて、やったわけでしょう。幾つでした？」「中学三年くらいでしたね」「どうでした？」「ただ、やったって感じだったですね」「場所は？」「外ですよ（苦笑）。ゴルフ場の林の中だったかな。ええ、まあ、一度覚えますと、悪いもんじゃないですし……まあ、そういう女の子がいましたからね。ズベ公みたいな。だいたい同じくらいの齢だったですね」という会話もどうかしてるし、こんな質問に律儀に答える渡哲也も相当どうかしてる。ズベ公なんて単語、久々に聞いたよ！

そんな彼も、大学生になると空手も始めて真面目になったとされているんだが、「僕の住んでいたアパートは水商売の夫婦が多くて、ま、昼間からよくやっているものですから、よく郵便ポストからのぞいたりしましたよ。下の部屋にメカケをしている一八くらいの女の子がいまして、空手部の連中が神妙に説教して、旦那から買ってもらったらしいステレオを、俺たちが売ってきてやるといって五万円で売って、女の子には三万しか渡さなかったりしまして……。まあいいスポンサーだったですよ」って感じで、その後も相変わらず極悪だった模様。なんでこんな情報が載っているのかというと、高平哲郎は原稿チェックをさせない主義だったからに決まっているのである。

記者会見では記者のレベルも試される。適当な質問をしていると痛い目を見ることもあるのだ！

時代はいま馬場元子！　世界は馬場元子を必要としている！　ジャイアント馬場夫人・馬場元子（故人）は当時から評判は悪かったけど、大坂なおみの騒動でボクは馬場元子的存在の重要性にいまさら気づいたのである。

テニスのプロツアーでは選手が試合後の会見に臨む義務があって、拒否すれば罰金なのに、大坂なおみはそれを拒否したため、「調子に乗ってる！」って感じで相当叩かれた。

しかし、テニスの会見を知る人によると、記者は直前の試合すら見ていないし、そもそもテニスのこともよく知らない人ばかりなので的はずれな質問を繰り返すから、記者のレベルの低さに驚いたと言っていたので、会見を拒否する気持ちも理解できるらしい。

となると、会見に参加する選手を守り、駄目な記者を一喝できるような存在が必要になるし、それこそが馬場元子だったわけなのだ。

最近出版された『誰も知らなかったジャイアント馬場』（朝日新聞出版、二〇一一年）は、基本的にはジャイアント馬場＝馬場正平との夫婦愛の本のはずなんだが、洒落にならないキラー元子エピソードも混入されていて、それがとにかく強烈すぎ。たとえば馬場元子の姪で、元子の会社に入社した川上佳子の話はこうだ。

「ある日の朝の恵比寿。いち早く動き出したのは居候の佳子。ジャイアント・サービスへの出勤時刻が迫っていた。ひとり朝食の支度をしていると、皿と皿をガチャリとぶつけた。傷をつけたわけでもましてや割れたわけでもなく、普通は誰も気にも留めない程度の生活音だったが、ベッドルームからすっ飛んできたのは元子だった。『今の音で馬場さんが目を覚まして、今日の馬場さんの試合が台無しになったら、アンタはどう責任取るの！』。以来、佳子は皿を一枚重ねるのにも数十秒の時間を使うようになった」

馬場元子といえば容赦ない説教で有名だったが、姪っ子相手にもここまで当たりがキツかったとは！　自宅に招いた外国人選手が深夜に帰った後も、当然ただでは終わらない。

「午前二時、片づけようとした佳子だったが、手から滑り落ち、今度こそ皿を割ってしまった。『アンタ、私がどんな思いでこのお皿を買ったと思ってるの！』。烈火のごとく、との慣用句の実用例を佳子は身をもって知る。正平が割って入る。『そうは言ったって、よしこちゃんも朝から普通に仕事をして、こんな夜中まで手伝ってたら、手もとが狂うこともあるよ。お皿はまた買えばいいよ』。ところが、この言葉が元子をまたイラつかせる。自分の味方をしてくれない正平に腹を立て怒りが増幅する」

物音を立てないように朝は慎重に準備して、昼は元子の会社で仕事して、帰宅後は元子に説教される、元子尽くしの地獄の毎日。

「佳子はジャイアント・サービスの社員という立場もあって恵比寿を飛び出すわけにもいかず、耐える毎日が続いた。友人から『パンダ』と呼ばれるほどふくよかだった体形は、一気に痩せ細っていった。拒食症による体重二〇キロ減。生理は止まり、医師からは胃がんの一歩手前ですと告げられた」

完全アウト！　当然、親族相手でもこれぐらい容赦しないんだから、「マスコミ関係者もその対象である。元子の警戒度はおそらく最上位だった。アナタはどれだけプロレスを理解しているの。アナタはどれだけジャイアント馬場を理解しているの。元子は門番としてふるいにかける。この関所を通過できなければ取材やメディア出演は実現しない」。

そう、ジャイアント馬場のインタビューをやるのも難しければ、元子チェックがあるから会見に潜り込むのも難しくて、なんとか潜り込んでも変な質問をしたら一発アウト。キラー元子のガチ説教を喰らうことになるわけなんだが、こうやって嫌われ役を買って出る人がいてくれたら、大坂なおみみたいな人はもっと生きやすくなるはずなのである。

聞き出す力――其の七十九

どんな噂があっても、人間は直接会ってみないとわからない。危険に飛び込んでみるべし！

芸能界最強と噂されたジェリー藤尾が亡くなった。晩年は老人ホーム生活だと聞いていたが、娘さんの家で息を引き取り、別れた奥さんとも最後は和解できていたそうなので、本当に良かったと思う。一時は自律神経失調症となり、離婚し（妻の浮気が原因らしいが本人は理由を語らず、妻はＤＶ被害を訴えたのでメディアに叩かれ、さらに病んだらしい）、自己破産へと追い込まれたため、離婚当時のことを思い出すといまでも腹が立つとか言っていたのに、いい着地ができたんだなあ、と。

ボクは二〇〇八年にジェリー藤尾をインタビューしているんだが、彼の本を作ろうとした人が「それだけはやめておけ」「殺されるぞ」と警告されたというのが信じられないぐらいフランクに何でも話してくれる人だった。

一九四〇年に上海で生まれた彼は、戦争で「日本が負けるにしたがって親父が家に寄り付かなくなったからね、逮捕されちゃうから」「敵国に情報を流してたわけ」との理由でイギリス人の母と二人で日本に来たが、母親がアル中になって酒瓶を抱えたまま死んでいるのを中一のとき発見。彼はハーフゆえ差別され、喧嘩を売られまくり、気がつくと新宿歌舞伎町を拠点とする高校生を中心とした愚連隊・三声会の一員になっていたそうである。

三声会は「結成したとき二〇人いなかったんじゃないかな？ それが、三木（恢）さんをヘッドにしてやろうかってことになって組織化して。で、池袋から極東組が来ると、向こうは大人でしょ？ こっちは『雑草はよ、踏まれても踏まれてもコンクリのあいだから出てるだろ。それと同じだよ、俺たちは。踏まれても踏まれても出てくるんだよ』って追い返すわけ。セコいのは殴り込みに行って、西武線に乗って電車で帰って来るんだから（笑）」。

しかも、喧嘩するときは「武器も持たない」ルールだったので、「刃物では三回やられてます（あっさりと）。でも、脇腹刺されたときは参ったなあ……。全然手を出してこないから、『あれ？ もしかしたら……』と思ったら、案の定ジャンパーから果物ナイフ。こっちは逃げなきゃしょうがないと思ったら、たまたま一升瓶が落っこちてたの。パーッと持って、『来い、この野郎！』って」。

なお、巡業のトラブルでヤクザにさらわれてピストルを出されたときはさすがに怖かったとのことである。そりゃそうだよ！

そんな彼が歌手になったきっかけもデタラメで、三声会の一員だった高一のとき歌舞伎町の深夜喫茶『スワン』のステージで誰かが歌ってると「おう、歌わせろ」とゴネて、店員に「あ！　藤尾さん、どうぞこちらへ」と言われるままステージジャック。そのときステージで演奏しているのが「（ホリプロの）堀（威夫）さんだろうがサンミュージックの相澤（秀禎）さんだろうが関係なく『おう、歌わせろ！』だもん。そりゃあ何年経っても根み持たれるだろ」とのことで、そんな人だから歌手デビューしてからテレビ局の偉い人と揉めて「私は東大出身だ！」と言われても、「バカ野郎、こっちは少年院出身だ！」と言い返していたわけなのだ。

なお、そんな彼が愚連隊を辞める辺りの話を聞いてみたら、「足を洗わせてくれたからよかった。『指詰めろ』とか言われたけれど、三木さんという人が『お前は歌やってこい』

と。その代わり、ずいぶん来ましたよ、三声会の若いのがケンカしにね……」。

当時、彼は二〇歳まで保護観察だったから、ケンカに来られても「二〇歳になるまで待ってろ。爆弾（執行猶予）なくなったらいつでもいいから」と言い返していたそうなんだが、「六一年、僕が二一歳のとき三木さんが『スワン』で殺されて。僕、三木さんのボディガードやってたじゃない。愚連隊やってたら一発ですよ！　一発でやられてる」。

そう。三声会会長の三木恢は一九六一年一〇月三一日深夜、新宿区・歌舞伎町の深夜喫茶スワンで、港会会員に、東声会大幹部・陳八芳とともに射殺されたのだ。享年二三。

ジェリー藤尾は、それから六〇年後の二〇二一年に亡くなったわけなのである。

聞き出す力――其の八十

決して語られることのない危ない話も、いつか世に出ることもあるのだ！

二〇二〇年一二月七日に七八歳で亡くなった小松政夫は、その直前に延べ一二時間のロングインタビューを受けていた。最後に「知っていること、喋りたいことを全部、喋った。これでお仕舞い」とまで言っていた彼は、果たして最後に何を言い残したかったのか？

そのインタビューをまとめた小菅宏『小松政夫　遺言』（青志社、二〇二一年）によると、「小松はコメディアンとしての外見の印象が強いので陽気でお茶らけた印象は強いが、素顔は徹底して硬派である」とのことだが、硬派どころじゃない完全な武闘派だったのである！

たとえば一九七五年放送の人気ドラマ『前略おふくろ様』の撮影中、彼のアドリブに主演の萩原健一が激怒したことがあったらしい。

「『誰だ⁉　本番で台詞にない素っ頓狂な声を出したのは。どいつだよ！』。当然、セットがあるスタジオにピーンと緊張が走りました。『どいつだ！　出てこい！　容赦しねえからな』。萩原の怒声と罵声が甲高くシーンと静まったスタジオに響いたので、一気に剣呑な空気が広がったわけです。『オレだよ』。ワタシは一歩前に出て名乗り出ました。声を発したのはワタシだから当然でしたが、萩原は一瞬、露骨にイヤな顔をしました」

あの温和で真面目そうな風貌ながら「自分が間違っていないと思えば絶対に引かないタイプ」だという彼は、「主役の演技が危なっかしくて見ていられねえから、思わず声を出しちまったのだ」と、萩原健一の演技にまずダメ出し！

「『お前のせいで』と萩原が怒鳴るので、『それがどうした』と言い返しました。『余計なことしやがる』と萩原が食ってかかるので、ついにこっちも頭に血がのぼってしまい、『やるか、この野郎！』と言い返していました。そして、『外へ出ろ！』と応じたのも若気の至りで、ワタシは萩原へ詰め寄りました。（略）博多生まれで生まれつき血の気は人一倍多いワタシなので、一度火が付いたらトコトン突っ走る性格で止まりません。『話を付けよう！』。

ワタシの呼びかけに萩原は黙ってにらんでいました。しばらく無言でしたが、明らかに逃げ腰でした。ところがこの後、予想外の展開となりました。萩原が自分の楽屋に入ったまま出てこなくなってしまい、その日のスタジオは大騒ぎです」

これ、明らかに萩原健一よりも喧嘩っ早いでしょ！

小松政夫は当時三三歳。萩原健一は二五歳。一体、このまま外に出て殴り合いに発展したらどんな結末になったのか気になって仕方ないところなんだが、どうやら実戦の腕もかなりのものだったらしい。渡辺プロの新年会で、渡辺晋社長に挨拶するため行列を作っていたとき、こんな事件が起きたらしいのだ。

「ワタシの前は内田裕也と安岡力也で、すでに酒が入っている様子で、待つ時間が長くなるにつれて声高に騒ぎ出しました。『静かにしろよ』とワタシが一言告げると、『何だ。黙っていろ！』と二人がワタシをにらんできました。何しろ内田も安岡も身体が大きい上に強面《こわもて》なので誰も注意をできなかったのです。『もう少しおとなしくできないのか』とワタシが注意すると、安岡が『野郎、表へ出ろ！』と突っかけてきました。『分かった』とワタシは言うや、靴を脱ぎ、安岡の足首を思い切り殴りつけました。先手必勝。喧嘩上手と言うわけではないですが、革靴の踵の部分は堅牢なので、それを武器にすると効果があるのをワタシは体験して知っていました」

え！　力也さんはキックボクシングの実戦経験もあって、アブドーラ・ザ・ブッチャーとストリートファイトしたぐらいの本物なのに、「さすがの安岡力也も悲鳴を上げて床に倒れて七転八倒。内田はいつの間にかその場から姿を消していた」とのことで、彼がコントで「小松の親分さん」を演じていたのも伊達じゃなかったというか。最後になぜこれを言い残そうと思ったのかというと、この三人がみんな亡くなったからいまなら本当のことが言えるってことだったのに違いないのである。

聞き出す力――其の八十一

インタビューは人生の答え合わせ。聞けば聞くほど、その人の本質が浮かび上がるものなのだ!

インタビューは答え合わせみたいな作業である。性格や行動が過激だと思われている人も、インタビューなどで人生を掘り下げていくとそのきっかけみたいなものに辿り着きがち。盗癖で知られるスティーヴ・ジョーンズ(セックス・ピストルズのギタリスト)にしても、彼の自伝『ロンリー・ボーイ ア・セックス・ピストル・ストーリー』(イースト・プレス、二〇二二年)を読んだら、隠されていたきっかけらしきものが見えてきたわけなのだ。

母親が流産で入院中のため自分のことを邪魔者扱いする義理の父親(ロン)と家に二人で残されていたとき、こんなことがあったらしい。

「ベッドで寝ているロンが、オレを呼んだ。ヤツはいつもならば必要なとき以外オレの存在を認めない。だが、オレに直接話しかけてくるときは、たいがいちょっとした脅しがはいっている」「オレが寝室に入ってすぐに、ヤツはオレを脅して手コキをさせやがった。オレはまだ子どもだ。何がわかるってんだよ？　だが、オレはヤツとふたりっきりで、ヤツの言いなりになるしか他に選択肢がない。ヤツがイクまでチンポを弄り、ヤツはオレの前に立ちはだかり、何をすべきかを指示した」

当時一〇歳か一一歳で義父に手コキ！　この経験のため混乱した彼は、直後に「地元の変態」「ペド野郎」が「オレに話を振ってきたのでオレはそれに乗って、金のためにオレのチンポを吸わせ」るまでになるのであった。

「ヤツはオレのものを吸いながら、やっている間中、センズリをこいていた。明らかにヤツの視点では性的な取引だっただろうが、オレは違った。例えその気になったとしても、射精できる年齢ではなかった」

それから二〜三年後、彼はいわゆるノーマルなセックスで初体験を果たすこととなる。

「オレのヘテロセクシャルとしてのキャリアはズコンと快調にスタートした。オレが童貞を失ったのは一三歳のときで、それ以前にオナったことはない。はじめての射精はチンポ弄りではなく、女とパコったときだ」

しかし、「あの最初の一発以来、オレはイク感覚がたまらなく好きになってしまい、自分では止められなくなっていた。一日に五回は、トイレットロール、掃除機など、あらゆる奇妙なものでオナっていた」りとオナニー方面でも暴走開始。「車を停めてヤッてるやつらを覗き見しながらオナっていた。マジで興奮ものだった。覗き見はその後数年間、オレの人生の大きな部分を占める」とのことで、本格的な覗き魔になってしまうのだ！

「覗き魔としての行動は、一四〜一五歳がピークだったと思う。六〇年代後半から七〇年代前半にかけて、公衆便所の壁に小さな穴を開けていたのはオレだったかもしれない」

「女が便所に入るのを待ち、隣に入って穴を覗いていた。興奮の一部は、それがいかに間違っているかということだ——便所に忍び込んだときの興奮と恥が、とにかく射精したいという気持ちで膨らむ」

まさにセックスでピストルな男だよ！

自分が手コキで心に傷を負ったはずなのに、電車で仲間（男）に「フェラをしてもらい、労いとして五〇ペンスを渡した」りするようになるのも、こういうのは連鎖していくんだなとつくづく思う。そして、そんな彼がセックス・ピストルズの一員となり、セディショナリーズが裸の少年をプリントしたピストルズのTシャツを作るのも、いちいち因果なのだ。

そんな彼がロン・ウッドの家に侵入してポータブルテレビとコートを盗んだり、モット・ザ・フープルのギターを盗んだりできたのも、そこにいるのが当然のように気配を消していたため（作中では「透明マント」と表現）らしい。そして、それだけ完璧に気配を消すことができたのも、「オレは自分の家で必要とされていないという辛い現実を逆手にとってみた」「誰もオレのことに気づかないなら、あちこちで物を盗んでもいいということか」との発想がきっかけだった。

セックス・ピストルズの映画『ザ・グレイト・ロックンロール・スウィンドル』で彼が歌う『ロンリー・ボーイ』は、彼の人生そのものを歌っていたわけなのである。

出版不況も乗り越えて、インタビュー稼業はこれからも続く、のか!?

突然ですが、『聞き出す力』は今週で最終回！『漫画ゴラク』を送本してほしいという理由だけで二〇一二年に引き受けた連載が、そこから一〇年続いただけでも奇跡みたいなものだし、大好きな雑誌に関われて本当に良かった！ ただ、最近は担当との間にちょっとした行き違いみたいなものもあったから、こうなるだろうなとも思ってたんですよね。

もともと『聞き出す力』は新書としてこれまで二回リリースされていて、最初の二年分で一冊、次の二年分で一冊。そこから四年間は本が出ていなかったところで、久し振りに書籍化の話が来たのがいまから一年半ほど前。ただ、紙の本ではなく電子書籍とのことだったので、「電書のみの本は出したことがなくて、イベントとかでサインを入れたりするグッズ的な意味でも少数限定、ちょっと値段高めとかでもいいから紙でも出すべきだと思ってます」と返信。ところが、返事もないまま校正刷りが送られてきたので、「これ、前も言ったと思いますけど、電書のみの本はまだ出したことないんですよ。音楽が配信中心になりつつもリリイベ用にCDも出し続けるような感じで、少部数であってもサインを入れたりする用の紙の本は作りたいです」と念押ししたという流れがまずあったんですよね。

最近、ボクの友人が聞き手を務めた地下アイドルのインタビュー集が電子書籍のみになったときも思ったんですけど、物販での手売りスキルが高い地下アイドルが大量に掲載されている本なんだから紙で作ってこそ意味があるし、その子たちには八掛けとかで物販用に本を卸して、各自がサイン本を売るシステムにしたら、それなりの部数をさばけるはずなんですよ。チェキとか一曲しか入っていないCD－Rを一〇〇〇円で買ってる人は、二〇〇〇円ぐらいのサイン本をお買い得だと感じるだろうし。それと同様に、ボクも一部地方のイベントだと終演後に書籍販売&サイン会をやることもあるし、発売記念イベントとか組まれたらいくらでもサインするわけですよ。そんなわけで電子書籍は便利だけど、電書のみの本は絶対に出したくなかった、と。

するど「紙版の方も作成させていただきますので、詳細決まりましたら改めて連絡いたします」との連絡がきたので、喜んで校正作業に入ったところ、やけに句読点が多くなっているし、一部が伏せ字にもなっているし、ある回は大幅に原稿が書き換えられていることが発覚（あえて詳細を書かないことで表現した松野莉奈回に、野暮なレベルの説明が書き加えられていた）。通常、疑問点や修正点があれば校正紙に鉛筆とかで書くのが出版界の常識で、勝手に書き直すのは完全アウト！

それを伝えた後、電書版が配信されたものの、なぜか紙の本は出版されないままだった。「すいません、紙の本も出すならっていう条件で電子出版を引き受けたんですけど、紙の本の発売はいつなんですか？」と二度ほど連絡したけどなかなか返事がなくて、「お返事遅くなりまして申し訳ありません。急遽入院しておりまして、メールの方確認できておりませんでした。紙の本ですが、お約束通りノベルティ的なものとして後日作製いたします。希望の部数ございましたらお知らせいただければ、予算との兼ね合いもありますが最大限作らせていただきます」と返信がきたのだ。

「ノベルティという意味がよくわからないんですけど、Amazon なり一部店舗なりにはちゃんと並ぶような感じで、サイン会とかも組める感じの部数は作って欲しいんですよ。

そして、それが完全に決まるまでは電書の宣伝は心情的にやれないです」

ボクがそうメールしたのが一年ぐらい前で、今回の連載終了を伝えるメールに「紙の本の話は？」と返信したら既読スルー……。

最後はいろいろ残念でしたけど、それぐらい出版不況も深刻になってるってことなんだと改めて痛感させられた次第。アイドルばりのリリイベとかもするべきなんだろうなー。

あとがき

これでシリーズも四作目、とうとう完結編である。『聞く力』オリジネイターの阿川佐和子もシリーズは二作目（『叱られる力　聞く力2』文春新書、二〇一四年）までしか出していないのに、ベストセラーに便乗したというかあからさまにパクったこっちが四作目まで出すなんて本当に図々しい！　盗人猛々しい！　お前が『叱られる力』を発揮してどうする！

そう怒られてもしょうがないぐらいなんだが、実はこっちも下手したら（紙では）二作目までで終わっていたところだったわけで。

二作目は、当時ちょうどボクが『TVタックル』に出演したとき人違いで脅されるトラブルが起きたばかりだったのでビートたけしに帯文を依頼。「私は吉田氏が私の悪口を書いたことを聞き出そうと怒鳴りつけたことがありましたが、実は私の全くの勘違いであり、ここに深くお詫びすると共に、この本を推薦いたします。この本はおもしろいぞ！」という、本の中身にほとんど触れていない推薦文とたけしのアー写を帯にするほどの便乗っぷりで駅貼りの広告まで出したのに、三作目はなぜか電子書籍のみ発売に。

それは約束が違うとボクがゴネたことで担当編集との間に溝が生まれ、原稿催促などの連絡もほとんどなくなり、そのため気が付いたら原稿が落ちていて隔週連載の掲載号が一号ズレることにもなって、やがて連載終了……。その最終回で、それまでの経緯を自分なりに踏み込んで説明したら、かなりの反響になったわけなのである。

当時、裁判傍聴芸人の阿曽山大噴火は Twitter に「漫画ゴラク『聞き出す力』最終回を。最後とは言えこういう文章を掲載してくれるのね。書く方も凄いが載せる方も凄い。出版界からのＳＯＳにも聴こえるが…」と書き、ビデオ考古学者のコンバットＲＥＣは「吉田豪『聞き出す力』最終回。このまま終わるのは寂しすぎるから担当編集を豪の部屋ゲストに呼んで欲しい」と書いていた。無理だよ！

この本の担当編集であり、元『ゴング格闘技』の藁谷浩一氏のツイートも引用したかったんだが大人の事情で削除しちゃったみたいなので、面識のないＫｏｒｅという人物のツイートを引用してみよう。

「話題の『週刊漫画ゴラク』連載コラム、吉田豪『聞き出す力』の最終回。これ、よく載ったな……。一〇年以上書き続けた著者に対する、編集者の良心の表れか、それとも編集者がもう内容に興味を失ってるのか。とりあえず、未刊行分はどっかで書籍化してくれないかな。もちろん紙媒体で！」

ホントそれ！　とりあえず、ああやって誌面を通じてボヤいたおかげでホーム社からパート3の紙の本が出せるようになり、そしていまこうして未刊行分の完結編を出せるようになったわけで、たまにはちゃんとボヤいたほうがいいってことなんだとは思う。

そして、あの最終回がちゃんと載ったことにも（下手したらボツになり、そのままひっそり連載が終わっててもおかしくなかった）、連載が終わってもう何年も経つのに『漫画ゴラク』がまだ送本され続けていることにも感謝するばかり。

タイミング悪く連載終了直後に幻冬舎から出た『聞き出す力「まさか」「ウソでしょう」で秘密の話が聞ける』（近藤勝重、二〇二二年）という本をいじれなかったのは本当に残念だったんだが、これぐらい気軽なコラム連載もまたいつかやりたいものなのである。

吉田 豪（よしだ・ごう）
1970年、東京都生まれ。プロインタビュアー、プロ書評家、コラムニスト。プロレスラー、アイドル、芸能人、政治家と、その取材対象は多岐にわたり、さまざまな媒体で連載を抱え、テレビ・ラジオ・ネットで活躍の場を広げている。著書に、『聞き出す力』『続 聞き出す力』（日本文芸社）、『帰ってきた 聞き出す力』（ホーム社）、『書評の星座　吉田豪の格闘技本メッタ斬り2005-2019』『書評の星座 紙プロ編　吉田豪のプロレス&格闘技本メッタ斬り1995-2004』（ホーム社）など多数あり。

聞《き》き出《だ》す力《ちから》 FINAL《ファイナル》

2024年1月30日　第1刷発行

著　者　吉田《よしだ》 豪《ごう》
発行人　茂木 行雄
発行所　株式会社ホーム社
〒101-0051 東京都千代田区神田神保町3-29 共同ビル
電話 編集部 03-5211-2966
発売元　株式会社集英社
〒101-8050 東京都千代田区一ツ橋 2-5-10
電話 販売部 03-3230-6393（書店専用）
読者係 03-3230-6080
印刷所　TOPPAN株式会社
製本所　ナショナル製本協同組合

Published by HOMESHA Inc. Printed in Japan
ISBN978-4-8342-5380-1 C0276